# ONDE ESTÃO
# AS CRIANÇAS?

# MARY HIGGINS CLARK

# ONDE ESTÃO AS CRIANÇAS?

Tradução de
RYTA VINAGRE

EDITORA RECORD
RIO DE JANEIRO • SÃO PAULO
2007

CIP-Brasil. Catalogação-na-fonte
Sindicato Nacional dos Editores de Livros, RJ.

Clark, Mary Higgins, 1929-
C544o    Onde estão as crianças? / Mary Higgins Clark;
tradução de Ryta Vinagre. – Rio de Janeiro: Record,
2007.

Tradução de: Where are the children?
ISBN 978-85-01-07751-6

1. Ficção policial americana. I. Vinagre, Ryta. II.
Título.

CDD – 813
07-1412               CDU – 821.111(73)-3

Título original inglês:
WHERE ARE THE CHILDREN?

Composição: Abreu's System

Direitos exclusivos de publicação em língua portuguesa somente para o
Brasil adquiridos pela
EDITORA RECORD LTDA.
Rua Argentina 171 – Rio de Janeiro, RJ – 20921-380 – Tel.: 2585-2000
que se reserva a propriedade literária desta tradução

Impresso no Brasil

ISBN 978-85-01-07751-6

PEDIDOS PELO REEMBOLSO POSTAL
Caixa Postal 23.052
Rio de Janeiro, RJ – 20922-970

EDITORA AFILIADA

*À memória de minha mãe,*
Nora C. Higgins,
*com amor, admiração e gratidão*

# Prólogo

ELE PODIA SENTIR O FRIO entrando pelas frestas na vidraça. Levantou-se desajeitado e cambaleou até a janela. Pegando uma das toalhas grossas que ficavam à mão, ele a enfiou no caixilho apodrecido. A corrente de ar que entrava fazia um som suave de sibilar na toalha, um som que o agradava vagamente. Ele olhou o céu nevoento e analisou as cristas se agitando na água. Deste lado da casa, em geral era possível ver Provincetown, na margem oposta da baía de Cape Cod.

Ele odiava o Cape. Odiava a desolação do lugar em um dia de novembro como aquele; o cinza completo da água; as pessoas insensíveis que não falavam muito, mas o analisavam com os olhos. Ele o odiou no verão em que chegara lá — ondas de turistas se espalhando pelas praias; subindo o aterro íngreme até a casa; olhando estupidamente pelas janelas do primeiro andar, as mãos em concha por sobre os olhos para espiar o interior.

Ele odiava a grande placa de VENDE-SE que Ray Eldredge colocara na frente e nos fundos do casarão e o fato de que agora Ray e aquela mulher que trabalhava para ele começassem a trazer gente para ver a casa. No mês passado, foi só por uma questão de sorte ele estar presente quando eles começaram a entrar; foi só por sorte que chegou ao último andar antes que conseguissem recolher o telescópio. O tempo corria. Alguém compraria a casa e ele não poderia alugá-la novamente. Foi por esse motivo que mandou o artigo para o jornal. Ainda queria estar ali para vê-la exposta diante de toda aquela gente... Agora, quando ela deve ter começado a se sentir segura.

Havia algo mais que tinha de fazer, mas a oportunidade nunca chegava. Ela mantinha uma estreita vigilância com as crianças. Mas não agüentava mais esperar. Amanhã...

Andou inquieto pelo quarto. O quarto do apartamento do último andar era grande. Toda a casa era grande. Era uma evolução degenerada da casa de um velho capitão. Começou no século XVII em uma crista rochosa que dominava uma vista de toda a baía, era um monumento pretensioso à necessidade do homem de ficar permanentemente em guarda.

A vida não era assim. Era feita de fragmentos e pedaços. Icebergs que mostravam sua ponta. Ele sabia disso. Esfregou a mão no rosto, sentindo-o quente e desagradável, embora o quarto estivesse gelado. Por seis anos, ele tinha alugado esta casa no final do verão e no outono. Era quase exatamente a mesma de quando veio pela primeira vez. Só algumas coisas estavam diferentes: o telescópio na sala da frente; as roupas que mantinha para ocasiões especiais; o chapéu pontudo que puxava sobre o rosto, que o escondia tão bem.

Em outros aspectos, o apartamento era o mesmo: o sofá antiquado, as mesas de pinho e o tapete feito à mão na sala de estar; a mobília de quarto em bordo, sólida como uma rocha. Esta casa e o apartamento tinham sido ideais para seus propósitos até este outono, quando Ray Eldredge lhe dissera que estavam tentando vender o lugar para um restaurante e que só seria alugado sob a condição de ele autorizar as visitas de prováveis compradores quando avisado.

Raynor Eldredge. Pensar no homem lhe trouxe um sorriso. O que Ray pensaria amanhã, quando visse o artigo? Será que Nancy tinha contado a Ray quem ela era? Talvez não. As mulheres podem ser astutas. Se Ray não sabia, melhor ainda. Que maravilha seria ver a expressão de Ray quando ele abrisse o jornal! Seria entregue pouco depois das dez da manhã. Ray estaria em seu escritório. Era possível que sequer o olhasse por algum tempo.

Impaciente, ele se virou da janela. Suas pernas grossas e troncudas estavam apertadas nas calças pretas brilhantes. Ficaria feliz quando pudesse perder um pouco de peso. Significaria aquela história medonha de passar fome novamente, mas podia fazer isso. Quando foi necessário, ele o fez. Inquieto, passou a mão no couro cabeludo, que coçava um pouco. Ele ficaria feliz quando pudesse deixar o cabelo crescer de novo em suas linhas naturais. As laterais sempre foram grossas e provavelmente estariam mais grisalhas agora.

Passou a mão devagar pela perna da calça, depois andou impaciente pelo apartamento, parando por fim no telescópio na sala de estar. O telescópio era especialmente potente — o tipo de equipamento que não estava disponível para venda ao público em geral. Muitos departamentos de polícia ainda não o tinham. Mas sempre havia maneiras de conseguir coisas que se quisesse. Ele se curvou e olhou pelo telescópio, semicerrando um dos olhos.

Devido à escuridão do dia, a luz da cozinha estava acesa, então era fácil ver Nancy com clareza. Estava parada diante da janela da cozinha, aquela que ficava acima da pia. Talvez estivesse prestes a preparar alguma coisa para colocar no forno para o jantar. Mas vestia um casaco quente e devia estar saindo. Estava imóvel, mas olhava a água. No que ela pensava? Em quem pensava? Nas crianças — Peter... Lisa...? Ele gostaria de saber.

Podia sentir que a boca ficava seca e lambeu os lábios nervosamente. Hoje ela parecia muito jovem. Seu cabelo estava puxado para trás. Ela o mantinha castanho-escuro. Alguém certamente a teria reconhecido se o deixasse com sua cor natural, louro-arruivado. Amanhã ela faria 32 anos. Mas ainda não denotava essa idade. Tinha uma qualidade juvenil intrigante, delicada, fresca e sedosa.

Ele engoliu em seco, nervoso. Podia sentir a secura febril de sua boca, mesmo enquanto as mãos e as axilas estavam molhadas e quentes. Ele engoliu em seco, depois engoliu novamente, e o som evoluiu para um casquinar profundo. Todo o seu corpo começou a tremer de júbilo e se chocou no telescópio. A imagem de Nancy se turvou, mas ele não se incomodou em refazer o foco das lentes. Não estava interessado em observá-la mais por hoje.

*Amanhã!* Ele podia ver a expressão com que ela estaria amanhã a essa hora. Exposta ao mundo pelo que ela era;

entorpecida de preocupação e medo; tentando responder à pergunta... À mesma pergunta que a polícia lhe fizera repetidamente havia sete anos.

"Vamos, Nancy", diria a polícia novamente. "Nos ajude a esclarecer isso. Conte a verdade. Você deve saber que não pode escapar assim. Diga-nos, Nancy... Onde estão as crianças?"

# 1

RAY DESCEU A ESCADA, apertando o nó da gravata. Nancy estava sentada à mesa com uma Missy ainda adormecida no colo. Michael tomava café-da-manhã de seu jeito pensativo e equilibrado.

Ray passou a mão na cabeça de Mike e se curvou para dar um beijo em Missy. Nancy sorriu para ele. Ela era tão linda. Havia rugas finas em volta daqueles olhos azuis, mas ainda não era possível dizer que tinha 32 anos. Ray tinha apenas alguns anos a mais, mas sempre se sentia infinitamente mais velho do que ela. Talvez fosse aquela vulnerabilidade espantosa. Ele percebeu os traços de vermelho nas raízes de seu cabelo escuro. Por uma dezena de vezes, no último ano, ele quisera pedir a ela que deixasse o cabelo crescer naturalmente, mas Nancy não ousara.

— Feliz aniversário, querida — disse baixinho.

Ele viu quando a cor sumiu de seu rosto.

Michael ficou surpreso.

— É aniversário da mamãe? Você não me contou isso.

Missy se sentou ereta.

— Aniversário da mamãe? — Ela parecia satisfeita.

— Sim — disse-lhes Ray. Nancy estava encarando a mesa.

— E hoje à noite vamos comemorar. À noite vou trazer para casa um grande bolo de aniversário e um presente, e vamos receber a tia Dorothy para jantar. Tudo bem, mamãe?

— Ray... não. — A voz de Nancy era baixa e apelativa.

— Sim. Lembre-se, no ano passado você prometeu que este ano nós íamos...

Comemorar era a palavra errada. Não podia dizer isso. Mas por um bom tempo ele soube que um dia teriam de começar a mudar o padrão dos aniversários dela. No começo ela se afastava completamente dele e andava pela casa, ou caminhava pela praia como um espectro silencioso em um mundo só dela.

Mas no ano anterior finalmente começara a falar neles... Nas outras duas crianças. Ela dissera: "Eles agora estariam grandes... 10 e 11 anos. Tento pensar em como estariam agora, mas não consigo sequer imaginar... Tudo sobre aquela época é um borrão. Como um pesadelo que tive."

"Deveria ser assim", disse-lhe Ray. "Deixe tudo para trás, querida. Não se pergunte mais o que aconteceu."

A lembrança fortaleceu a decisão dele. Curvou-se para Nancy e afagou seu cabelo com um gesto que era ao mesmo tempo protetor e gentil.

Nancy olhou para ele. O apelo em seu rosto mudou para a incerteza.

— Não acho que...

Michael a interrompeu.

— Quantos anos você tem, mamãe? — perguntou ele, pragmático.

Nancy sorriu — um sorriso de verdade, que miraculosamente relaxou a tensão.

— Não é da sua conta — disse-lhe ela.

Ray tomou um gole rápido de café.

— Boa menina — disse ele. — Vou lhe dizer uma coisa, Mike. Vou pegar você hoje à tarde depois da aula e vamos comprar um presente para a mamãe. Agora é melhor eu ir. Vai aparecer um sujeito para ver a casa dos Hunt. Quero dar uma olhada no arquivo.

— Não está alugada? — perguntou Nancy.

— Está. Aquele camarada, Parrish, que pega e larga o apartamento. Mas ele sabe que temos o direito de mostrar a casa a qualquer hora. É um local ótimo para um restaurante e não precisaria de muita reforma. Vai dar uma boa comissão se eu vendê-la.

Nancy colocou Missy no chão e o acompanhou até a porta. Ele a beijou de leve e sentiu os lábios dela tremerem sob os seus. O quanto ele a aborrecera por começar aquela conversa de aniversário? Um instinto lhe deu vontade de dizer: *Não vamos esperar pela noite. Vou ficar em casa e vamos levar as crianças a Boston, passar o dia lá.*

Em vez disso, ele foi para o carro, acenou, deu ré e partiu pela rua estreita de terra que cercava meio hectare de bosque até terminar na estrada que atravessava o Cape e levava ao centro de Adams Port e seu escritório.

Ray tinha razão, pensou Nancy enquanto voltava lentamente para a mesa. Já estava na hora de parar de seguir os padrões do passado — hora de parar de se lembrar e só olhar para o futuro. Sabia que uma parte dela ainda estava congelada. Sabia que a mente baixava uma cortina protetora sobre as lembranças dolorosas — mas era mais do que isso.

Era como se sua vida com Carl fosse um borrão... O tempo todo. Era difícil se lembrar do alojamento universitário no campus. A voz modulada de Carl... Peter e Lisa. Como eles eram? Cabelo escuro, os dois, como o de Carl, e tão quietos... Tão reprimidos... Afetados pela insegurança dela... E depois a perda — de ambos.

— Mãe, por que você está tão triste? — Michael olhou para ela com a expressão sincera de Ray, falou com a franqueza de Ray.

*Sete anos*, pensou Nancy. A vida era uma série de ciclos de sete anos. Carl costumava dizer que todo o seu corpo mudava neste intervalo de tempo. Cada célula se renovava. Era hora de ela realmente olhar para o futuro... E esquecer.

Passou os olhos pela cozinha grande e alegre, com a velha lareira de tijolos aparentes, as tábuas largas de carvalho no piso, as cortinas vermelhas e sanefas que não obstruíam a visão do porto. E depois ela olhou para Michael e Missy...

— Não estou triste, querido — disse ela. — Não mesmo.

Envolveu Missy nos braços, sentindo o calor e a doce proximidade da menina.

— Eu estava pensando no seu presente — disse Missy. Seus longos cabelos louro-avermelhados se enroscavam em volta das orelhas e da testa. As pessoas às vezes perguntavam de onde vinha aquele cabelo tão bonito — quem era o ruivo da família?

— Que ótimo — disse-lhe Nancy. — Mas pense em ir lá para fora. É melhor pegar um pouco de ar fresco logo. Acho que vai chover mais tarde e ficar muito frio.

Depois que as crianças se vestiram, ela as ajudou com os blusões e os gorros.

— Olhe o meu dólar — disse Michael com satisfação enquanto colocava a mão no bolso do casaco. — Eu tinha certeza de que havia deixado aqui. Agora posso comprar um presente para você.

— Eu também tenho dinheiro. — Missy ergueu com orgulho um punhado de moedas menores.

— Ah, ora essa, vocês dois não deviam levar dinheiro lá para fora — disse Nancy a eles. — Vão acabar perdendo. Deixe que eu guardo para vocês.

Michael sacudiu a cabeça.

— Se eu te der, posso esquecer quando sair para fazer compras com o papai.

— Prometo que não vou deixar você esquecer.

— Meu bolso tem fecho. Está vendo? Vou guardar nele, e vou guardar o de Missy também.

— Bom... — Nancy deu de ombros e desistiu da discussão. Ela sabia perfeitamente que Michael não perderia o dólar. Ele era como Ray, organizado. — Agora, Mike, vou subir. Não saia de perto da Missy.

— Tudo bem — disse Michael alegremente. — Vem, Missy. Vou te empurrar no balanço primeiro.

Ray montara um balanço para as crianças. Ficava pendurado em um galho do enorme carvalho na beira do bosque atrás da casa.

Nancy colocou as luvas nas mãos de Missy. Eram de um vermelho vivo; um angorá peludo formava uma carinha sorridente nas costas.

— Deixe-me colocar — disse ela. — Senão, suas mãos vão ficar frias. Está ficando bem gelado. Nem sei se vocês deviam sair.

— Ah, por favor! — O lábio de Missy começou a tremer.

— Tudo bem, tudo bem, não precisa fazer uma cena — disse Nancy asperamente. — Mas só por meia hora.

Ela abriu a porta dos fundos para eles saírem, depois tremeu ao ser envolvida por uma brisa gelada. Fechou a porta rapidamente e subiu a escada. A casa era um autêntica antiguidade do Cape, e a escada era quase totalmente vertical. Ray disse que os antigos colonos deviam ter sangue de cabrito-montês para construir a escada daquele jeito. Mas Nancy adorava tudo neste lugar.

Ela ainda podia se lembrar da sensação de paz e receptividade que lhe acometera quando a vira pela primeira vez, mais de seis anos atrás. Chegara ao Cape depois de ter sido absolvida. O promotor público não recorrera da sentença porque Rob Legler, uma testemunha fundamental da acusação, tinha desaparecido.

Ela atravessara o continente num avião até aqui — de bem longe, da Califórnia, era o que queria; para bem longe das pessoas que conhecia, do lugar onde morara, da faculdade e de toda a comunidade acadêmica de lá. Jamais quis vê-los novamente — os amigos que no final não se mostraram tão amigos, mas estranhos hostis que falavam do "pobre Carl" porque a culpavam também do suicídio dele.

Viera para Cape Cod porque sempre ouvira dizer que os habitantes da Nova Inglaterra e o povo do Cape eram reticentes e reservados, não queriam nada com estranhos, e isso era bom. Ela precisava de um lugar para se esconder, para encontrar a si mesma, para entender tudo, tentar pensar no que tinha acontecido, tentar retomar sua vida.

Ela cortara o cabelo e o tingira de castanho, e isso foi o bastante para que se sentisse completamente diferente das fotos que tinham ocupado a primeira página dos jornais em todo o país durante o julgamento.

Supunha que só o destino podia tê-la levado a escolher a imobiliária de Ray quando estava procurando uma casa para alugar. Na verdade, havia marcado hora com outro corretor, mas num impulso fora vê-lo primeiro porque gostara da placa escrita à mão e das jardineiras nas janelas, cheias de crisântemos amarelos e champanhe.

Esperou até que ele terminasse com outro cliente — um senhor de rosto coriáceo e cabelo crespo e duro — e admirou o modo como Ray o aconselhou a segurar sua propriedade, que ia encontrar um inquilino para o apartamento na casa para ajudar a cobrir as despesas.

Depois que o velho saiu, ela disse:

— Talvez eu tenha chegado na hora certa. Quero alugar uma casa.

Mas ele não lhe mostrou a velha casa dos Hunt.

— A Sentinela é grande demais, solitária demais e ventosa demais para você — disse ele. — Mas acabo de receber uma autêntica casa do Cape para alugar, em excelentes condições, que está totalmente mobiliada. Pode até ser comprada um dia, se você quiser. De quantos quartos precisa, senhorita... senhora...?

— Senhorita Kiernan — disse-lhe ela. — Nancy Kiernan. — Por instinto, usou o sobrenome de solteira da mãe. — Na verdade, não muitos. Eu não terei companhia nem hóspedes.

Ela gostou do fato de ele não fazer perguntas e sequer mostrar curiosidade.

— O Cape é um bom lugar para quem quer ficar sozinho — disse ele. — Não dá para sentir solidão andando pela praia, vendo o pôr-do-sol ou só olhando pela janela de manhã.

Depois Ray a trouxera para cá, e de imediato ela entendeu que ficaria na casa. As salas de estar e jantar combinadas tinham sido remodeladas da antiga sala de observação que no passado fora o coração da casa. Ela adorou a cadeira de balanço na frente da lareira e o modo como a mesa ficava diante das janelas para que fosse possível comer e olhar o porto e a baía.

Conseguiu se mudar de imediato e, se Ray ficou intrigado por ela não ter absolutamente nada, exceto duas malas que tirou do ônibus, ele não demonstrou. Ela disse que a mãe tinha morrido, que vendera a casa em Ohio e decidira vir para o Leste. Nancy simplesmente omitiu os seis anos de intervalo entre as duas coisas.

Naquela noite, pela primeira vez em meses, ela dormiu a noite toda — um sono profundo e sem sonhos em que não ouviu Peter nem Lisa chamando-a; não estava no tribunal, ouvindo Carl condená-la.

Na primeira manhã no Cape, ela fizera café e se sentara à janela. O dia estava claro e brilhante — o céu sem nuvens era de um azul-arroxeado; a baía, tranqüila e parada; o único movimento vinha do arco de gaivotas que adejavam perto dos barcos de pesca.

Com os dedos em torno da xícara de café, ela bebera e olhara. O calor do café fluía por seu corpo. Os raios de sol aqueciam seu rosto. A quietude do cenário aumentou a sensação tranqüilizadora de paz que começara com o longo sono sem sonhos.

*Paz... Dai-me paz.* Esta tinha sido a oração que fizera durante o julgamento. *Que eu aprenda a aceitar.* Sete anos atrás...

Nancy suspirou, percebendo que ainda estava parada na base da escada. Era tão fácil se perder em reminiscências. Era por isso que tentava tanto viver um dia após o outro... Sem olhar para o passado, nem para o futuro.

Começou a subir a escada devagar. Como podia haver paz para ela, sabendo que, se Rob Legler aparecesse, eles a julgariam de novo por assassinato; tirariam-na de Ray, de Missy e Michael? Por um momento, baixou o rosto nas mãos. *Não pense nisso,* disse a si mesma. *Não adianta nada.*

No alto da escada sacudiu a cabeça, decidida, e andou rapidamente para o quarto principal. Abriu as janelas e tremeu quando o vento soprou as cortinas de encontro a ela. Nuvens começavam a se formar e a água da baía começava a se agitar com marolas. A temperatura caía rapidamente. Nancy agora estava bem integrada no Cape para saber que um vento frio como este costumava se transformar numa tempestade.

Mas ainda estava claro o bastante para deixar as crianças no quintal. Ela gostava que eles pegassem o máximo de ar fresco pela manhã. Depois do almoço, Missy tirava uma soneca e Michael ia para o jardim-de-infância.

Ela começou a tirar o lençol da grande cama de casal e hesitou. Missy tinha fungado ontem. Será que devia descer e avisar para que ela não abrisse o fecho do casaco? Era um dos truques preferidos dela. Missy sempre reclamava que todas as suas roupas ficavam apertadas demais no pescoço.

Nancy deliberou por um momento, depois puxou o lençol completamente e o tirou da cama. Missy estava com um casaco de gola rulê. A garganta ficaria coberta mesmo que ela o desabotoasse. Além disso, ela só levaria 10 ou 15 minutos para fazer as camas e levar os lençóis para a máquina de lavar.

Dez minutos no máximo, prometeu Nancy a si mesma, para tranqüilizar a sensação ranheta de preocupação que lhe dizia insistentemente para sair e ver as crianças *agora*.

## 2

EM ALGUMAS MANHÃS, Jonathan Knowles saía a pé para comprar o jornal matutino. Em outros dias, ia de bicicleta. Suas saídas sempre o faziam passar pela antiga casa dos Nickerson, aquela que Ray Eldredge comprara quando se casou com a garota bonita que a estava alugando.

Quando o velho Sam Nickerson era dono do lugar, a casa estava começando a ficar em ruínas, mas agora parecia aquecida e sólida. Ray colocara um telhado novo e lhe dera uma boa pintura, e a esposa certamente tinha mão para jardinagem. Os crisântemos amarelos e laranja nas jardineiras da janela conferiam um toque caloroso e alegre até no dia mais sombrio.

Num dia de tempo bom, em geral Nancy Eldredge saía de manhã cedo para trabalhar no jardim. Ela sempre tinha um cumprimento simpático para ele e depois voltava a seu trabalho. Jonathan admirava essa característica numa mulher. Ele conhecera o pessoal de Ray, quando vinham passar o verão aqui. Era evidente que os Eldredge ajudaram a colonizar o Cape. O pai de Ray dissera a Jonathan que toda a linhagem familiar remontava àquela que viera no *Mayflower*.

O fato de que Ray tivesse tanto amor pelo Cape para decidir ter sua carreira profissional aqui era particularmente exemplar aos olhos de Jonathan. O Cape tinha lagos e lagunas, e a baía e o oceano. Tinha bosques onde se podia caminhar, e terrenos para quem quisesse ter muito espaço. E era um bom lugar para um casal jovem criar os filhos. Era um bom lugar para se aposentar e passar o final da vida. Jonathan e Emily sempre haviam passado as férias aqui e ansiavam pelo dia em que pudessem ficar o ano todo no Cape. Quase fizeram isso. Mas Emily não quis.

Jonathan suspirou. Ele era grandalhão, com cabelos brancos e um rosto largo que começava a formar queixo duplo. Advogado aposentado, ele achava a inatividade deprimente. Não se podia pescar muito no inverno. E vasculhar antiquários e dar novo acabamento a móveis não era tão divertido quanto na época em que Emily estava com ele. Mas neste segundo ano de residência permanente no Cape, ele começara a escrever um livro.

Havia começado como um passatempo e acabara se tornando uma atividade diária que o absorvia. Um amigo editor lera alguns capítulos em um fim de semana e prontamente lhe mandara um contrato. O livro continha estudos de caso de famosos julgamentos de assassinatos. Jonathan trabalhava nele cinco horas por dia, sete dias por semana, começando logo às nove e meia da manhã.

O vento o açoitava. Ele puxou o cachecol, grato pelo fraco brilho do sol que sentia no rosto enquanto olhava para a baía. Com o matagal cortado, era possível ver claramente pela água. Só a velha casa dos Hunt no lado da costa interrompia a vista — a casa que chamavam de A Sentinela.

Jonathan sempre olhava a baía a esta altura do percurso. Nesta manhã, novamente, ele semicerrou os olhos enquanto virava a cabeça. Irritado, olhou a rua depois de registrar as marolas tempestuosas e agitadas. O sujeito que alugara a casa devia ter alguma coisa de metal na janela, pensou ele. Era uma droga inconveniente. Teve vontade de pedir a Ray para falar com ele, depois repeliu o pensamento, pesaroso. O inquilino podia simplesmente sugerir que Jonathan observasse a baía de algum outro ponto pelo caminho.

Ele deu de ombros sem perceber. Estava bem em frente à casa dos Eldredge, e Nancy estava sentada à mesa do café-da-manhã, junto à janela, falando com o garotinho. A menininha estava no colo dela. Jonathan desviou os olhos rapidamente, sentindo-se um intruso e sem desejar que ela o visse. Ah, bem, ele tinha que comprar o jornal, tomar o café-da-manhã solitário e ir para sua mesa. Hoje ia começar a trabalhar no caso do assassinato dos Harmon — aquele que ele desconfiava de que daria o capítulo mais interessante do livro.

# 3

RAY ABRIU A PORTA DA IMOBILIÁRIA, incapaz de se livrar da sensação insistente de preocupação que pulsava em algum lugar dentro dele como uma dor de dente que não conseguia localizar. Qual era o problema? Era mais do que só lembrar a Nancy de seu aniversário e se arriscar a despertar recordações. Na verdade, ela estava bem calma. Ele a conhecia bem o suficiente para ver quando a tensão se baseava naquela outra vida.

Podia ser incitada por qualquer coisa, como a visão de um menino e uma menina de cabelos escuros que eram da idade dos outros filhos dela, ou uma discussão do assassinato daquela garotinha que fora encontrada morta em Cohasset no ano anterior. Mas Nancy estava bem nesta manhã. Era outra coisa — um pressentimento.

— Ah, não! O que isso significa?

Ray olhou para cima, sobressaltado. Dorothy estava à mesa dela. Seu cabelo, mais grisalho do que castanho, casualmente emoldurava o rosto comprido e agradável. O suéter bege simples e a saia de tweed marrom tinham um desalinho quase estudado e indicavam a indiferença de sua usuária com frescuras.

Dorothy fora a primeira cliente de Ray quando ele abrira a imobiliária. A garota que ele havia contratado não apareceu e Dorothy se oferecera para ajudá-lo por alguns dias. Estava com ele desde então.

— Percebeu que está sacudindo a cabeça e com a testa franzida? — disse-lhe ela.

Ray sorriu timidamente.

— Só agitação matinal, acho. Como você está?

Dorothy imediatamente assumiu uma atitude executiva.

— Bem. Tenho o arquivo todo reunido sobre A Sentinela. A que horas espera o sujeito que quer ver a casa?

— Lá pelas duas — disse Ray. Ele se curvou para a mesa dela. — De onde tirou essas plantas?

— Estavam arquivadas na biblioteca. Não se esqueça, aquela casa foi construída no século XVII. Se alguém estiver disposto a gastar na restauração, pode ser uma espécie de museu. E você não pode esquecer a localização de frente para o mar.

— Sei que o Sr. Kragopoulos e a esposa construíram e venderam vários restaurantes e não se importam em gastar para fazer tudo o que deve ser feito.

— Ainda não conheci um grego na vida que não tivesse sucesso com um restaurante — comentou Dorothy enquanto fechava a pasta.

— E todos os ingleses são bichas, nenhum alemão tem senso de humor e a maioria dos porto-riquenhos... quero dizer, chicanos... vive da previdência social... Meu Deus, odeio rótulos! — Ray pegou o cachimbo no bolso e o enfiou na boca.

— Como é? — Dorothy olhou para ele, confusa. — É claro que não estou rotulando... Ou talvez estivesse, acho, mas não do jeito que você entendeu. — Ela lhe deu as costas enquanto guardava a pasta no arquivo, e Ray foi para a sala dele e fechou a porta.

Ele tinha que magoá-la. Estúpida e desnecessariamente. Que diabos estava acontecendo com ele? Dorothy era a pessoa mais decente, imparcial e sem preconceitos que ele conhecia. Que coisa desagradável de se dizer a ela. Suspirando, ele pegou o estojo de fumo na mesa e encheu o cachimbo. Deu umas baforadas pensativamente por 15 minutos, antes de chamar Dorothy pelo intercomunicador.

— Sim? — A voz dela estava embaraçada quando pegou o fone.

— As meninas já chegaram?

— Sim.

— Fez café?

— Sim. — Dorothy não perguntou se ele queria um pouco.

— Se importaria de trazer seu café aqui e mais uma xícara para mim? E peça às meninas para segurar as ligações por 15 minutos.

— Tudo bem. — Dorothy desligou.

Ray se levantou para abrir a porta e, quando ela entrou com as xícaras fumegantes, ele a fechou com cuidado.

— Paz — disse ele, contrito. — Lamento terrivelmente.

— Acredito — disse Dorothy —, e está tudo bem, mas qual é o problema?

— Sente-se, por favor. — Ray gesticulou para a poltrona de couro cor de ferrugem ao lado de sua mesa. Ele levou o café à janela e olhou melancólico a paisagem cinzenta.

— Gostaria de jantar na nossa casa hoje à noite? — perguntou ele. — Vamos comemorar o aniversário de Nancy.

Ele a ouviu respirar fundo e girar o corpo.

— Acha que é um erro?

Dorothy era a única no Cape que sabia de Nancy. A própria Nancy contara a ela e pedira seus conselhos antes de concordar em se casar com Ray.

A voz e os olhos de Dorothy eram especulativos quando ela respondeu.

— Não sei, Ray. Qual é a idéia por trás da comemoração?

— A idéia é que não se pode fingir que Nancy não faz aniversário! É claro que é mais do que isso. É que Nancy precisa romper com o passado, parar de se esconder.

— Será que ela *pode* romper com o passado? *Pode* parar de se esconder com a perspectiva de outro julgamento por assassinato sempre rondando em volta dela?

— Mas é exatamente isso. A *perspectiva*. Dorothy, percebe que aquele sujeito que testemunhou contra ela não foi visto nem ouvido por mais de seis anos? Só Deus sabe onde ele está agora, ou se ainda está vivo. Pelo que me consta, ele escapuliu deste país com outro nome e está tão ansioso quanto Nancy para não começar toda essa história de novo. Não se esqueça, ele é oficialmente um desertor do Exército. Há uma punição muito rigorosa esperando por ele se for pego.

— Isso provavelmente é verdade — concordou Dorothy.

— E *é mesmo* verdade. E dê um passo adiante. Agora me acompanhe. O que as pessoas desta cidade acham da Nancy? E estou incluindo as meninas de minha própria imobiliária.

Dorothy hesitou.

— Elas acham que ela é muito bonita... Admiram as roupas que usa... Dizem que é sempre simpática... E acham que é muito reservada.

— É uma maneira elegante de colocar as coisas. Ouvi uma tagarelice sobre minha esposa pensar que é "boa demais para as pessoas daqui". No clube, sou cada vez mais esnobado porque só uso a carteira de sócio para jogar golfe e porque não levo a minha linda esposa. Na semana passada, ligaram da escola de Michael perguntando se Nancy estava pensando em trabalhar em algum comitê. Não preciso dizer que ela recusou. No mês passado, finalmente consegui que ela fosse ao jantar dos corretores, e quando tiraram uma foto do grupo, ela estava no banheiro das mulheres.

— Ela tem medo de ser reconhecida.

— Entendo isso. Mas não vê que essa possibilidade é cada vez menor com o passar do tempo? E mesmo que alguém diga a ela: "Você é tão parecida com aquela mulher da Califórnia que foi acusada"... Bem, você sabe o que quero dizer, Dorothy. Para a maioria das pessoas, acabaria por aí. Uma semelhança. E ponto final. Meu Deus, lembra do cara que costumava posar para todas aquelas propagandas de uísque e de banco, aquele que era meio parecido com Lyndon Johnson? Servi no Exército com o sobrinho dele. As pessoas se parecem com outras. É simples. E se houver outro julgamento, quero que Nancy tenha o apoio das pessoas daqui, quero que sintam que Nancy é uma delas e que torçam por ela. Porque depois que for absolvida, vai ter que vir para cá, retomar a vida. Todos vamos ter que fazer isso.

— E se houver um julgamento e ela *não for* absolvida?

— Simplesmente não pensei nesta possibilidade — disse Ray com franqueza. — E então? Temos um compromisso esta noite?

— Eu gostaria muito de ir — disse Dorothy. — E concordo com a maior parte do que você disse.

— A maior parte?

— Sim. — Ela olhou para ele com firmeza. — Acho que você tem de perguntar a si mesmo até que ponto este desejo súbito de ter uma vida mais normal é só por Nancy e até que ponto ele existe por outros motivos.

— O que quer dizer?

— Ray, eu estava aqui quando o secretário de Estado de Massachusetts insistiu com você para entrar na política porque o Cape precisava de jovens de seu calibre para representá-lo. Eu o ouvi dizer que ele ia lhe dar qualquer ajuda e endosso possíveis. É bem difícil não aceitar a palavra dele. Mas do jeito que as coisas estão agora, você não pode. E sabe disso.

Dorothy saiu da sala sem lhe dar oportunidade de responder. Ray terminou o café e sentou-se à mesa. A raiva, a irritação e a tensão o deixaram, e ele se sentiu deprimido e envergonhado de si mesmo. É claro que ela estava certa. Ele não ia fingir que não havia nenhuma ameaça rondando a vida deles, que tudo eram flores. E ele teve uma coragem dos diabos também, sabia no que estava se metendo quando se casou com Nancy. Se não soubesse, ela certamente teria apontado. Ela fez o que pôde para alertá-lo.

Ray encarou sem ver a correspondência em sua mesa, pensando nas vezes, nos últimos meses, em que explodira irracionalmente com Nancy da mesma maneira que agira esta manhã com Dorothy. Como agira quando ela lhe mostrara a aquarela que tinha feito da casa. Ela devia estudar belas-artes. Mesmo agora ela era boa para expor na cidade. Ele disse: "É muito boa. Agora, em que armário você vai esconder?"

Nancy ficara tão magoada, tão indefesa! Ele queria ter mordido a língua. Ele dissera: "Querida, me desculpe. É só que tenho muito orgulho de você. Quero mostrar a todo mundo."

Quantos destes ataques eram causados por ele estar cansado da constante restrição das atividades do casal?

Ele suspirou e começou a repassar a correspondência.

Às 9h45, Dorothy abriu a porta da sala dele. Sua pele, em geral de um rosa saudável, estava doentiamente branco-acinzentada. Ele foi ao encontro dela de um salto. Mas, sacudindo a cabeça, ela fechou a porta e estendeu o jornal que escondia debaixo do braço.

Era o semanário *Cape Cod Community News*. Dorothy o abrira na segunda seção, a que sempre trazia uma matéria de interesse humano. Ela largou o jornal na mesa.

Juntos, eles viram a grande foto de alguém que era inconfundivelmente Nancy. Era uma foto que ele nunca vira antes, de terninho de tweed, o cabelo puxado para trás e já escurecido. A legenda debaixo da foto dizia: SERÁ ESTE UM FELIZ ANIVERSÁRIO PARA NANCY HARMON? Outra foto mostrava Nancy saindo do tribunal durante o julgamento, o rosto duro e sem expressão, o cabelo caindo em cascata pelos ombros. Uma terceira foto era uma cópia de um instantâneo de Nancy com os braços em volta dos dois filhos.

A primeira frase da matéria dizia: "Em algum lugar hoje, Nancy Harmon está comemorando seu 32º aniversário e o sétimo aniversário da morte dos filhos, de cujo assassinato foi acusada."

## 4

ERA TIMING. Todo o universo existia graças a um timing de uma fração de segundo. Agora o timing dele era perfeito.

Apressadamente, ele engatou a ré e tirou a picape da garagem. O dia estava tão nublado que era difícil ver muita coisa pelo telescópio, mas ele sabia que ela estaria colocando os casacos nas crianças.

Sentiu que as seringas do bolso estavam ali — cheias, prontas para o uso, para produzir a inconsciência imediata; um sono absoluto e sem sonhos.

Podia sentir a transpiração começando nas axilas e na virilha, e grandes gotas de suor se formavam na testa e desciam pelas faces. Isso era ruim. O dia estava frio. Ele não devia parecer excitado nem nervoso.

Ele levou alguns segundos preciosos para limpar o rosto com a velha toalha que ficava no banco da frente e olhou para trás. A capa de lona era do tipo que muitos homens do Cape mantinham no carro, em especial na temporada de pesca; da mesma forma, os caniços que apareciam pelo vidro traseiro. Mas esta capa era grande o bastante para cobrir duas crianças pequenas. Ele riu empolgado e apontou o carro para a Route 6A.

O Wiggins' Market ficava na esquina desta rua com a Route 6A. Ele fazia compras ali sempre que estava no Cape. É claro que trazia a maior parte dos gêneros de que precisava quando vinha para ficar. Era arriscado demais sair muito. Sempre havia a possibilidade de passar por Nancy e ela o reconhecer, mesmo com a modificação que fizera na aparência. Quase tinha acontecido quatro anos antes. Ele fora ao supermercado em Hyannis Port e ouvira a voz de Nancy atrás dele. Estava pegando um pote de café e a mão dela foi direto ao lado da sua e pegou um pote da mesma prateleira. Ela dizia: "Espere um pouco, Mike. Quero pegar uma coisa aqui", e enquanto ele congelava, ela roçou nele e murmurou: "Ah, me desculpe."

Ele não ousou responder — só ficou parado ali — e ela foi embora. Tinha certeza de que ela nem olhou para ele. Mas depois disso, nunca mais se arriscou a se encontrar com ela. Era necessário, porém, que estabelecesse uma rotina casual em Adams Port, porque um dia podia ser importante que as pessoas considerassem rotineiras suas idas e vindas. Era por isso que ele comprava leite, pão e carne no Wiggins' Market, sempre por volta das dez da manhã. Nancy nunca saía de casa antes das onze, e mesmo então ela sempre ia ao Lowerys' Market, a 800 metros na mesma rua. E os Wiggins começaram a recebê-lo como um cliente antigo. Bem, ele chegaria lá em alguns minutos, bem no horário.

Não havia ninguém a pé. O vento gelado desestimulava qualquer inclinação a ficar ao ar livre. Ele estava quase na Route 6A e reduziu o carro até parar.

Que sorte inacreditável. Não havia carro nenhum nas duas direções. Acelerou rapidamente e a picape se lançou pela rua principal, entrando na estrada que passava atrás da propriedade dos Eldredge. Audácia — era só do que precisava. Qualquer tolo podia tentar bolar um plano infalível. Mas ter um plano tão simples que era até inacreditável chamar de plano — um horário que descesse a uma fração de segundo — isto sim, era coisa de gênio. Deixar-se voluntariamente exposto ao fracasso — andar na corda bamba por uma dezena de abismos para que, quando o ato fosse realizado, ninguém sequer olhasse na direção dele — era assim que devia ser.

Dez para as dez. As crianças provavelmente sairiam em um minuto. Ah, ele conhecia as possibilidades. Uma das crianças podia ter entrado para ir ao banheiro ou para beber água, mas não era provável, não era provável. Todo dia, por um mês seguido, ele as observara. A não ser que estivesse chovendo, elas saíam para brincar. Ela nunca dava uma olhada neles antes de passarem 10 ou 15 minutos. Eles nunca voltavam para dentro pelos mesmos 10 minutos.

Nove para as dez. Ele dirigiu o carro para a estrada de terra na propriedade deles. O jornal da comunidade seria entregue em alguns minutos. Aquele artigo sairia hoje. Motivação para Nancy explodir em violência... Exposição de sua participação... Todas as pessoas da cidade falando num tom de choque, indo até esta casa, encarando...

Ele parou o carro a meio caminho no bosque. Ninguém podia vê-lo da estrada. Ela não podia vê-lo da casa. Saiu rapidamente e, mantendo-se perto da proteção da árvores, correu até a área de brincar das crianças. A maioria das folhas caíra das árvores, mas havia pinheiros e outras árvores perenes em número suficiente para escondê-lo.

Pôde ouvir as vozes das crianças antes de vê-las. O menino, com a voz arfando um pouco — ele devia estar empurrando a menina no balanço: "Vamos perguntar ao papai o que comprar para a mamãe. Vou levar nosso dinheiro."

A menina riu. "Tá bom, Mike, tá bom. Mais alto, Mike... me empurra mais alto, por favor."

Ele se esgueirou por trás do menino, que o ouviu naquele último segundo. Teve uma impressão de olhos azuis sobressaltados e uma boca escancarada de pavor antes de cobrir a ambos com uma das mãos e com a outra enfiar a agulha na luva de lã. O menino tentou se libertar, enrijeceu o corpo, depois caiu amarfanhado e sem ruído no chão.

O balanço estava voltando — a menina gritava: "Empurra, Mike, não pára de empurrar." Ele pegou o balanço pela corrente da direita, deteve-o e cingiu o corpo pequeno e incompreensivelmente agitado. Abafando com cuidado o grito suave, enfiou a outra agulha pela luva vermelha que tinha uma cara sorridente de gato bordada nas costas. Um instante depois, a menina suspirou e desabou de encontro a ele.

Ele não percebeu que uma luva ficou presa no balanço e foi arrancada da mão enquanto ele erguia facilmente as duas crianças nos braços e corria para o carro.

Às 9h45 eles estavam jogados debaixo da capa de lona. Ele deu ré na estrada de terra e entrou na via pavimentada atrás da propriedade de Nancy. Soltou um palavrão quando viu um Dodge vindo na direção dele. Reduziu um pouco para poder encostar na pista da direita e virou a cabeça.

Mas que droga de sorte! Enquanto passava, conseguiu ver rapidamente o motorista do outro carro e teve a impressão da silhueta de um nariz afilado e queixo fino sob um chapéu amorfo. O outro motorista não pareceu virar a cabeça.

Teve uma sensação fugaz de familiaridade: provavelmente alguém do Cape, mas talvez sem saber que a picape que tinha reduzido saíra da estrada de terra estreita que vinha da propriedade dos Eldredge. A maioria das pessoas não era observadora. Alguns minutos depois, este homem provavelmente nem se lembraria de ter reduzido por um instante para permitir que um carro completasse uma manobra.

Ele olhou o Dodge pelo retrovisor até que desaparecesse. Com um grunhido de satisfação, ajeitou o retrovisor de modo a refletir a capa de lona na traseira. Ao que parecia, fora atirada casualmente sobre equipamento de pesca. Satisfeito, recolocou o retrovisor no lugar sem olhar novamente. Se tivesse olhado, teria visto que o carro que acabara de observar estava voltando lentamente.

Às 10h04 ele entrou no Wiggins' Market e resmungou uma saudação enquanto ia para as geladeiras pegar um litro de leite.

# 5

NANCY DESCEU A ESCADA ÍNGREME equilibrando precariamente uma braçada de toalhas e lençóis, pijamas e roupas de baixo. Por impulso, ela decidira lavar a roupa, que podia ser pendurada para secar do lado de fora antes que a tempestade caísse. O inverno estava aqui. Estava à beira do jardim, forçando as últimas folhas mortas a cair das árvores. Estava se firmando na estrada de terra, que agora era dura feito concreto. Estava mudando a cor da baía para um cinza-azulado fumacento.

Do lado de fora a tempestade se formava, mas agora, enquanto ainda havia um sol fraco, ia tirar vantagem dele. Ela adorava o cheiro fresco de lençóis secos ao ar livre; adorava encostá-los no rosto enquanto adormecia com aquele aroma fraco que capturavam de pântanos de amoras, pinheiro e o cheiro salgado do mar — tão diferente do odor grosseiro, áspero e úmido dos lençóis da prisão. Ela expulsou o pensamento.

Ao pé da escada, começou a se virar para a porta dos fundos, depois parou. Mas que tolice. As crianças estavam bem. Só iam ficar lá fora por 15 minutos, e esta ansiedade frenética que era seu fantasma constante tinha que ser dominada. Mesmo agora, suspeitava de que Missy sentia isso e estava começando a reagir a seu excesso de proteção. Ela se virou para a lavanderia, depois os chamou. Enquanto eles assistirem ao programa de televisão das dez e meia, ela tomaria uma segunda xícara de café e daria uma olhada na edição do *Cape Cod Community News* da semana. Com o fim da temporada, podia haver algumas antigüidades boas à venda e não a preços para turistas. Ela queria um banco antigo para a sala de estar — do tipo de encosto alto que costumavam chamar de "arca" no século XVII.

Na lavanderia, ao lado da cozinha, separou a roupa, colocou os lençóis na máquina, pôs detergente e alvejante e por fim apertou o botão para começar o ciclo de lavagem.

Agora certamente estava na hora de chamar as crianças. Mas, na porta da frente, ela se virou. O jornal tinha acabado de chegar. O rapaz da entrega desaparecia na curva da estrada. Ela o pegou, estremecendo contra o vento que aumentava, e correu para a cozinha. Acendeu o fogo sob a cafeteira ainda quente. Depois, ansiosa para dar uma olhada nos classificados, folheou rapidamente a segunda seção do jornal.

Seus olhos focalizaram a manchete escandalosa e as fotos — todas as fotos: dela com Carl e Rob Legler; aquela com Peter e Lisa... Aquele jeito confiante e afetuoso com que eles sempre a abraçavam. Através de um zumbido nos ouvidos, ela se lembrou vividamente da vez em que posaram para aquela foto. Carl tinha tirado.

"Não preste atenção em mim", dissera ele, "finjam que não estou aqui." Mas eles sabiam que estava e se encolhiam contra Nancy, e ela os olhara enquanto ele tirava a foto. Suas mãos estavam tocando as cabeças escuras e sedosas.

— Não... não.. não... não! — Agora seu corpo se arqueava de dor. Desequilibrada, estendeu a mão e atingiu a cafeteira, derrubando-a. Recolheu a mão, sentindo só fracamente o líquido escaldante que se espalhava por seus dedos.

Tinha que queimar o jornal. Michael e Missy não deveriam vê-lo. Era isso. Ela ia queimar o jornal para que ninguém pudesse vê-lo. Correu até a lareira da sala de jantar.

A lareira... Não era mais alegre, quente e protetora. Porque não havia refúgio... Nunca haveria refúgio para ela. Ela amassou o jornal e procurou trêmula a caixa de fósforos na cornija. Um fio de fumaça e uma chama, e então o papel começou a queimar enquanto ela o enfiava entre as achas de lenha.

Todos no Cape estavam lendo este jornal. Eles iam saber... Iam saber de tudo. A única foto que certamente reconheceriam. Ela nem se lembrava de que alguém a tivesse visto depois de ter cortado e tingido o cabelo. O jornal agora queimava em chamas vivas. Ficou olhando a foto com Peter e Lisa ardendo, carbonizando e se enroscando. Mortos, os dois; e ela ficaria melhor sem eles. Não havia lugar onde se esconder... Nem onde esquecer. Ray podia cuidar de Michael e Missy. Amanhã, na aula de Michael, as crianças ficariam olhando para ele, cochichando, apontando seus dedos.

As crianças. Ela devia salvar as crianças. Não, *pegar* as crianças. Era isso. Eles estavam tomando frio.

Ela cambaleou para a porta dos fundos e a abriu.

— Peter... Lisa... — chamou ela. Não, não! Eram Michael e Missy. *Eles* eram os filhos dela. — Michael. Missy. Entrem. Entrem agora! — Seu lamento aumentou para um berro. Onde eles estavam? Correu para o quintal, sem se importar com o frio que penetrava por seu suéter leve.

O balanço. Eles deviam ter saído do balanço. Deviam estar no bosque.

— Michael. Missy. Michael! Missy! Parem de se esconder! Entrem agora!

O balanço ainda estava se movendo. O vento o fazia balançar. Depois viu a luva. A luva de Missy, presa nos aros de metal do balanço.

De longe, ouviu um som. Que som? As crianças.

O lago! Eles devem estar no lago. Não deviam ir até lá, mas talvez tenham ido. Eles seriam encontrados. Como os outros. Na água. As carinhas molhadas, inchadas e imóveis.

Ela pegou a luva de Missy, a luva com a face sorridente, e cambaleou para o lago. Gritou os nomes dos dois repetidamente. Ela seguiu para o bosque e para a margem arenosa.

No lago, a pouca distância, algo estava brilhando sob a superfície. Era uma coisa vermelha... Outra luva... A mão de Missy? Ela entrou na água gelada até os ombros e estendeu a mão. Mas não havia nada ali. Freneticamente, Nancy uniu os dedos para que formassem uma peneira, mas não havia nada — só a água fria e terrivelmente entorpecente. Ela olhou para baixo, tentando ver o fundo; curvou-se e caiu. A água jorrou por suas narinas e pela boca, e queimou seu rosto e seu pescoço.

De algum modo conseguiu se levantar e voltar antes que suas roupas molhadas a puxassem de volta. Ela caiu na areia crestada de gelo. Através do rugido em seus ouvidos e a névoa que se fechava diante dos olhos, olhou o bosque e o viu — o rosto dele... O rosto *de quem*?

A névoa se fechou inteiramente em seus olhos. Os sons morreram; o crepitar triste da gaivota... O bater da água... Silêncio.

Foi ali que Ray e Dorothy a encontraram. Tremendo incontrolavelmente, deitada na areia, o cabelo e as roupas colados à cabeça e ao corpo, os olhos vazios e sem expressão, bolhas doloridas surgindo na mão que apertava no rosto uma pequena luva vermelha.

## 6

JONATHAN LAVOU E ENXAGUOU cuidadosamente a louça do café da manhã, areou a frigideira e varreu o chão da cozinha. Emily era naturalmente caprichosa, e os anos de convivência com ela o fizeram apreciar o conforto intrínseco do asseio. Ele sempre pendurava suas roupas nos armários, colocava a roupa suja no cesto do banheiro e lavava a louça logo depois de suas refeições solitárias. Ele até ficava de olho no tipo de detalhe que a faxineira deixava passar e às quartas-feiras, depois que ela ia embora, fazia pequenas tarefas, como limpar as latas de mantimentos e as bugigangas e polir as superfícies que ela deixava foscas de cera.

Em Nova York, ele e Emily moravam em Sutton Place, no extremo sudeste da Fifty-fifth Street. Seu prédio se estendia da F.D.R. Drive até a margem do East River. Às vezes eles se sentavam em sua sacada do décimo sétimo andar e olhavam as luzes das pontes que transpunham o rio, conversando sobre a época em que se aposentariam no Cape e olhariam o lago Maushop.

— Você não vai ter a Bertha todo dia para manter as rodas girando — ele zombava dela.

— Quando desistirmos daqui, Bertha estará pronta para se aposentar, e vou contratar você como meu ajudante. Só vamos precisar de uma faxineira semanal. O que acha? Vai sentir falta de alguém que coloque seu carro na porta toda vez que precisar dele?

Jonathan respondeu que decidira comprar uma bicicleta.

— Vou comprar agora — disse ele a Emily —, mas acho que alguns clientes nossos podem ficar aborrecidos caso se espalhe que cheguei ao trabalho como um adolescente.

— E você vai tentar escrever — espicaçou Emily. — Às vezes eu queria que você tivesse aproveitado a oportunidade e feito isso há anos.

— Nunca pude fazer, casado com você — disse ele. — A guerreira solitária no combate à recessão. Toda a Quinta Avenida lucra quando a Sra. Knowles vai às compras.

— É culpa sua — retorquiu ela. — Você sempre me diz para gastar seu dinheiro.

— É como gastar com você — disse-lhe ele. — E não me queixo. Eu tive sorte.

Se ao menos eles tivessem tido mais alguns anos aqui juntos... Jonathan suspirou e pendurou o pano de prato. Ver Nancy Eldredge e seus filhos emoldurados na janela esta manhã o deprimira um pouco. Talvez fosse o clima, ou o longo inverno chegando, mas ele estava inquieto, apreensivo. Algo o incomodava. Era o tipo de comichão que ele costumava ter quando preparava um resumo e algumas informações não batiam.

Enfim, ele se sentou à mesa. Estava ansioso para começar a trabalhar no capítulo de Harmon.

Ele podia ter se aposentado precocemente, pensou, enquanto ia devagar ao estúdio. Por acaso foi exatamente o que fez, de qualquer forma. No minuto em que perdeu Emily, ele vendeu o apartamento de Nova York, apresentou sua demissão, aposentou Bertha e, como um cachorro lambendo as feridas, veio para cá, para esta casa, que eles escolheram juntos. Depois da primeira desolação do luto, ele encontrou um certo contentamento.

Agora escrever livro era uma experiência fascinante e absorvente. Quando teve a idéia de fazê-lo, convidara Kevin Parks, um meticuloso pesquisador freelance e velho amigo, para passar o fim de semana. Depois delinara seus planos para ele. Jonathan escolhera dez julgamentos criminais controversos e propussera que Kev assumisse a tarefa de reunir um arquivo de todo o material disponível sobre aqueles julgamentos: transcrições do tribunal; depoimentos; relatos nos jornais; fotos; fofocas — qualquer coisa que pudesse encontrar. Jonathan pretendia analisar minuciosamente cada arquivo e em seguida decidir como escrever o capítulo — ou concordando com o veredito, ou rejeitando-o, e dando seus motivos. Chamava o livro de "Vereditos em questão".

Ele já terminara três capítulos. O primeiro intitulava-se "O Caso Sam Sheppard". Sua opinião: inocente. Brechas demais; muitas provas suprimidas. Jonathan concordou com a opinião de Dorothy Kilgallen, de que o júri achara Sam Sheppard culpado de adultério, e não de assassinato.

O segundo capítulo era "O Caso Cappolino". Marge Farger, em sua opinião, merecia uma cela de prisão com o ex-namorado.

O capítulo recém-concluído era "O Caso Edgar Smith". A opinião de Jonathan era de que Edgar Smith era culpado, mas merecia sua liberdade. Hoje em dia, 14 anos constituíam uma sentença de prisão perpétua, e ele fora reabilitado e se educara em uma cela horrível no corredor da morte.

Agora se sentou à sua mesa enorme e abriu a gaveta de arquivo em busca das pastas de cartolina grossa que haviam chegado na véspera. Estavam rotuladas O CASO HARMON.

Havia um bilhete de Kevin grampeado no primeiro envelope. Dizia:

Jon, acho que você vai gostar de colocar as garras neste aqui. O advogado de defesa era presa fácil para o promotor; até o marido dela teve um colapso no banco das testemunhas e praticamente a acusou diante do júri. Se um dia localizarem a testemunha desaparecida da acusação e a julgarem novamente, é melhor ela ter uma história forte. O gabinete do promotor público de lá sabe onde ela está, mas não consegui arrancar isso deles; em algum lugar no Leste, foi o máximo que obtive.

Jonathan abriu o arquivo com o pulso acelerado que ele sempre associava ao começo de um novo caso interessante. Ele nunca se permitiu especular muito antes de completar toda a pesquisa, mas sua lembrança deste caso, quando estava sendo julgado seis ou sete anos atrás, o deixou curioso. Ele se recordava de que, na época, só a leitura dos registros do julgamento deixara tantas perguntas em sua mente... Perguntas em que agora ele queria se concentrar. Ele lembrou que sua impressão geral do caso Harmon era de que Nancy Harmon não contara tudo o que sabia sobre o desaparecimento dos filhos.

Pegou a pasta e começou a dispor os itens meticulosamente rotulados na mesa. Havia fotos de Nancy Harmon tiradas durante o julgamento. Ela sem dúvida era linda, com aquele cabelo na altura da cintura. De acordo com os jornais, tinha 25 anos na época em que os assassinatos foram cometidos. Parecia mais nova — não muito mais do que uma adolescente. As roupas que usava eram tão juvenis... quase infantis... e haviam contribuído para o efeito geral. Provavelmente seu advogado sugerira que ela tivesse a aparência o mais jovem possível.

Era engraçado, mas desde que começara a planejar este livro, sentia que tinha visto aquela mulher em algum lugar. Ele olhou as fotos diante de si. É claro. Ela parecia uma versão mais nova da esposa de Ray Eldredge! Isso explicava a semelhança persistente. A expressão era totalmente diferente, mas o mundo não seria pequeno se houvesse alguma relação de parentesco?

Seus olhos caíram na primeira página datilografada, que dava informações breves sobre Nancy Harmon. Ela nasceu na Califórnia e foi criada no Ohio. Bem, isso excluía qualquer possibilidade de ela ser parente próxima de Nancy Eldredge. A família da mulher de Ray fora vizinha de Dorothy Prentiss na Virgínia.

Dorothy Prentiss. Ele sentiu uma ferroada rápida de prazer ao pensar na bonita mulher que trabalhava com Ray. Jonathan costumava parar na imobiliária deles por volta das cinco horas, quando comprava o jornal vespertino, o *Globe* de Boston. Ray sugerira investimentos interessantes em terras, e todos se mostraram sólidos. Ele também convencera Jonathan a se tornar ativo na cidade, e como resultado disso se tornaram bons amigos.

Ainda assim, Jonathan percebeu que ele ia ao escritório de Ray com mais freqüência do que era necessário. Ray dizia: "Chegou bem na hora de um drinque de final de dia", e chamava Dorothy para se juntar a eles.

Emily gostava de daiquiris. Dorothy sempre pedia a bebida favorita de Jonathan — um Rob Roy mexido. Os três se sentavam por uma meia hora mais ou menos na sala de Ray.

Dorothy tinha um humor arguto que agradava a Jonathan. A família dela era de gente do show business e Dorothy tinha incontáveis histórias boas sobre as turnês com eles. Ela também planejara fazer carreira, mas depois de três pequenos papéis off-Broadway, casara-se e se estabelecera na Virgínia. Depois da morte do marido, viera para o Cape com a intenção de abrir uma loja de decoração de interiores, mas em seguida começara a trabalhar com Ray. Ele dizia que Dorothy era um demônio de corretora. Podia ajudar as pessoas a visualizar as possibilidades de uma casa, mesmo que à primeira vista o imóvel fosse deprimente.

Ultimamente, com uma freqüência cada vez maior, Jonathan brincava com a idéia de sugerir a Dorothy que jantasse com ele. Os domingos eram longos, e em algumas tardes recentes de domingo ele começara a discar o número do telefone dela, depois parara. Não tinha pressa para se envolver com alguém com quem se encontrava constantemente. E nem tinha certeza. Talvez ela fosse meio forte demais para ele. Todos aqueles anos de convivência com a completa feminilidade de Emily deixaram-no um tanto despreparado para reagir a uma mulher tremendamente independente.

Meu Deus, qual era o problema dele? Estava caindo em devaneios com tanta facilidade esta manhã. Por que se permitia essa distração do caso Harmon?

Resolutamente, acendeu o cachimbo, pegou o arquivo e se recostou na cadeira. Decidido, pegou o primeiro maço de papéis.

Uma hora e quinze minutos se passaram. O silêncio não fora rompido, exceto pelo tiquetaquear do relógio, a insistência crescente do vento pelos pinheiros lá fora e o muxoxo ocasional de descrença de Jonathan. Por fim, com a testa franzida de concentração, ele baixou a papelada e foi devagar até a cozinha para fazer café. Alguma coisa cheirava mal em todo o julgamento Harmon. A julgar pela maior parte das transcrições que lera até agora, era evidente que havia alguma coisa suspeita ali... Algo oculto impossibilitava que os dados se encaixassem de qualquer forma razoavelmente coesa.

Foi até a cozinha imaculada e encheu a chaleira pela metade, distraído. Enquanto esperava que aquecesse, segui até a porta da frente. O *Cape Cod Community News* já estava na varanda. Colocando o jornal debaixo do braço, voltou à cozinha, pôs uma colher de chá de Taster's Choice em uma xícara, acrescentou a água fervente, mexeu e começou a bebericar, enquanto com a outra mão virava as páginas do jornal, dando uma olhada no conteúdo.

Quase tinha terminado o café quando chegou à segunda seção. A mão que segurava a xícara parou no ar enquanto ele olhava imóvel a foto da esposa de Ray Eldredge.

Naquele primeiro momento de percepção, foi com tristeza que Jonathan aceitou duas verdades irrefutáveis: Dorothy Prentiss deliberadamente mentira para ele sobre ter conhecido Nancy quando criança na Virgínia e, aposentado ou não, ele devia ter confiado em seus instintos de advogado. Subconscientemente, ele sempre suspeitou de que Nancy Harmon e Nancy Eldredge eram a mesma pessoa.

# 7 _____

ESTAVA MUITO FRIO. Havia alguma coisa saibrosa em sua boca. Areia... Por quê? Onde ela estava?

Podia ouvir Ray chamando, sentiu-o curvando-se para ela, aninhando-a nele.

— Nancy, qual é o problema? Nancy, onde estão as crianças?

Ela podia ouvir o medo na voz dele. Tentou levantar a mão, depois a deixou cair frouxa de lado. Ela tentou falar, mas nenhuma palavra se formou em seus lábios. Ray estava ali, mas ela não conseguia alcançá-lo.

Ouviu Dorothy dizer: "Levante-a, Ray. Leve-a para casa. Temos que conseguir ajuda para procurar pelas crianças."

As crianças. Precisavam encontrá-las. Nancy queria dizer a Ray para procurar por elas. Ela sentiu os lábios tentando formar as palavras, mas as palavras não vieram.

— Ah, meu Deus! — Ouviu a aspereza na voz de Ray. Ela queria dizer: "Não se incomode comigo; não se incomode comigo. Procure pelas crianças." Mas não conseguia falar. Sentia Ray pegando-a e segurando-a contra si.

— O que aconteceu com ela, Dorothy? — perguntou ele. — Qual é o problema dela?

— Ray, precisamos chamar a polícia.

— A polícia! — Nancy pôde ouvir vagamente a resistência na voz dele.

— Claro que sim. Precisamos ajudar a encontrar as crianças. Ray, rápido! Cada minuto é precioso. Não está vendo... Não pode proteger Nancy agora. Todo mundo vai reconhecê-la da foto.

A foto. Nancy se sentiu sendo carregada. Remotamente, ela sabia que estava tremendo. Mas não era nisso que tinha de pensar. Era na foto dela no terninho de tweed que comprara depois que a sentença foi anulada. Eles a tiraram da prisão e a levaram ao tribunal. O estado não a julgara de novo. Carl estava morto, o estudante que ia testemunhar contra ela desaparecera, e assim ela fora libertada.

O promotor lhe dissera: "Não pense que acabou. Vou achar um jeito de conseguir uma condenação que persista, nem que eu tenha que passar o resto da minha vida nisso." E com essas palavras golpeando-a, ela saiu do tribunal.

Depois disso, quando recebera permissão para sair do estado, Nancy cortou e tingiu o cabelo e saiu às compras. Sempre odiara o tipo de roupa que Carl gostava que ela vestisse e comprou o terno de três peças e suéter marrom de gola rulê. Ainda usava o casaco e as calças; ela os usara para fazer compras naquela última semana. Este era outro motivo para a foto ser tão reconhecível. A foto... fora tirada no terminal de ônibus; era ali que ela estava.

Ela não sabia que alguém a havia fotografado. Pegara o ônibus do final da tarde para Boston. O terminal não estava cheio e ninguém prestara nenhuma atenção nela. Ela de fato pensara que podia escapar e tentar começar de novo. Mas alguém estivera esperando para recomeçar tudo.

*Eu quero morrer*, pensou ela. *Eu quero morrer*.

Ray andava rapidamente, mas tentava protegê-la com o casaco. O vento mordia através das roupas molhadas. Ele não podia protegê-la; nem mesmo ele podia protegê-la. Era tarde demais... Talvez sempre tivesse sido tarde demais. Peter e Lisa, Michael e Missy. Todos eles se foram... Era tarde demais para todos eles.

Não. Não. Não. Michael e Missy. Eles estavam aqui havia pouco tempo. Estavam brincando. Estavam no balanço e depois a luva estava ali. Michael não teria deixado Missy sozinha. Ele era tão cuidadoso com ela. Foi como na última vez. Na última vez, e eles os encontrariam como acharam Peter e Lisa, com as algas marinhas e pedaços de plástico na cara, nos cabelos e nos corpos inchados.

Eles devem estar na casa. Dorothy abria a porta e dizia: "Vou chamar a polícia, Ray."

Nancy sentiu a escuridão chegando. Começou a resvalar para longe... Não... não... não...

## 8

AH, TANTA ATIVIDADE. Ah, o modo como todos dispararam feito formigas — todos rondando pela casa e pelo jardim dela. Ansioso, ele passou a língua nos lábios. Estavam muito secos, quando o resto dele estava molhado — as mãos, os pés, a virilha e as axilas. A transpiração escorria de sua nuca e pelas costas.

Assim que voltou para o casarão, carregou as crianças para dentro e levou-as direto para a sala do telescópio. Ele podia ficar de olho nelas aqui e lhes falar e tocar quando acordassem.

Talvez ele desse um banho na garotinha e a secasse com uma toalha macia e bonita, talvez lhe passasse talco e a beijasse. Tinha o dia todo para ficar com as crianças. O dia todo; a maré só ia subir às sete da noite. Mas então estaria escuro, e ninguém estaria por perto para ver ou ouvir nada. Dias se passariam antes que viessem à superfície. Seria como da última vez.

Era por demais agradável tocar neles quando sabia que a mãe estava sendo interrogada agora. "O que você fez com as crianças?", iam perguntar a ela.

Viu mais viaturas policiais enxamearem na estrada de terra no quintal dela. Mas algumas passaram da casa. Por que tantas estavam indo para o lago Maushop? É claro. Pensavam que ela deixara as crianças ali.

Sentiu-se maravilhosamente recompensado. Aqui podia ver tudo o que estava acontecendo sem risco nenhum, perfeitamente seguro e confortável. Ele se perguntou se Nancy estaria chorando. Ela não chorava no julgamento, só no final — depois que o juiz a sentenciara à câmara de gás. Ela caíra em prantos e enterrara o rosto nas mãos para abafar o som. Os funcionários do tribunal lhe passaram lenços, e seu cabelo comprido vertera para a frente, cobrindo o rosto tomado de lágrimas que parecia desesperadamente distante das faces hostis.

Ele se lembrava da primeira vez em que a vira andando pelo campus. Sentira-se atraído por ela de imediato — pelo modo como o vento soprava seu cabelo louro-arruivado nos ombros, compondo delicadamente o rosto; os dentes pequenos, completamente brancos; os olhos azuis, redondos e encantadores que pareciam entalhados sob sobrancelhas e cílios castanhos, grossos e enfarruscados.

Ouviu um choro. Nancy? Mas é claro que não. Vinha da menina. A filha de Nancy. Ele se desviou do telescópio e olhou, ressentido. Mas sua expressão mudou para um sorriso ao examiná-la. Aqueles cachinhos molhados na testa; o nariz pequenino e reto; a pele clara... Ela era muito parecida com Nancy. Agora ela gemia enquanto começava a acordar. Bem, estava quase na hora de a droga perder o efeito; eles haviam ficado inconscientes por quase uma hora.

Com pesar, deixou o telescópio. Tinha deitado as crianças em lados opostos do sofá de veludo que cheirava a mofo. A menininha agora chorava abertamente. "Mamãe... mamãe." Seus olhos estavam fechados com força. A boca aberta... A pequena língua era tão rosada! Lágrimas escorriam por suas faces.

Ele a sentou e abriu seu casaco. Ela se encolheu, tentando se afastar.

— Calma, calma — disse ele num tom tranqüilizador. — Está tudo bem.

O menino se agitou e também despertou. Seus olhos estavam arregalados, assim como estiveram quando o viu no quintal. Agora ele se sentou lentamente.

— Quem é você? — ele quis saber. Esfregou os olhos, sacudiu a cabeça e olhou em volta. — Onde estamos?

Uma criança articulada... bem-falante... a voz clara e bem modulada. Isso era bom. Era mais fácil lidar com crianças bem-educadas. Não faziam bagunça. Aprenderam a respeitar os mais velhos, tendiam a ser dóceis. Como as outras. Elas tinham vindo com ele com tanta tranqüilidade naquele dia. Ajoelharam-se na mala do carro sem questionar quando ele dissera que iam fazer uma brincadeira com a mamãe.

— É um jogo — disse ele a este garotinho. — Sou um velho amigo de sua mãe e ela quer fazer uma brincadeira de aniversário. Você sabia que é aniversário dela hoje? — Ele ficava afagando a garotinha enquanto falava. Ela era tão macia e boa.

O menino — Michael — parecia inseguro.

— Não gosto desse jogo — disse ele com firmeza. Vacilando, ele se colocou de pé. Empurrou para o lado as mãos que tocavam Missy e a segurou. Ela se agarrou a ele. — Não chora, Missy — disse, tentando tranqüilizá-la. — É só um jogo bobo. Vamos para casa agora.

Era óbvio que ele não ia se deixar enganar facilmente. O menino tinha a expressão franca de Ray Eldredge.

— Nós não vamos brincar de nenhum de seus jogos — disse ele. — Queremos ir para casa.

Ele sabia de um jeito maravilhoso de fazer com que o menino cooperasse.

— Solte sua irmã — ordenou ele. — Dê sua irmã para mim. — Ele a arrancou do garoto. Com a outra mão, pegou o pulso de Michael e o puxou para a janela. — Sabe o que é um telescópio?

Michael assentiu, inseguro.

— Sei. É como os óculos que meu pai usa. Deixa as coisas maiores.

— É isso mesmo. Você é muito inteligente. Agora, olhe por aqui. — O menino pôs o olho no visor. — Agora me diga o que está vendo... Não, feche o outro olho.

— Parece a minha casa.

— O que está vendo lá?

— Tem um monte de carros... Carros da polícia. Qual é o problema? — O alarme deixou sua voz trêmula.

Ele olhou feliz o rosto preocupado. Um zunido fraco vinha da janela. Estava começando a chover granizo. O vento empurrava as bolinhas com força nas vidraças. A visibilidade logo ficaria muito ruim. Mesmo com o telescópio, seria difícil que visse muita coisa. Mas ele podia passar um período maravilhoso com as crianças — a longa tarde, toda ela. E ele sabia como fazer o menino obedecer.

— Sabe o que é estar morto? — perguntou ele.

— Quer dizer ir para Deus — respondeu Michael.

Ele assentiu, aprovando.

— É isso mesmo. E hoje de manhã sua mãe foi para Deus. É por isso que tem todos aqueles carros da polícia lá. Seu pai me pediu para cuidar de vocês por um tempo e disse para você ser bonzinho e me ajudar a cuidar da sua irmã.

Michael parecia que também ia chorar. Seu lábio tremia quando ele disse:

— Se a mamãe foi para Deus, eu quero ir também.

Passando os dedos pelo cabelo de Michael, ele embalou Missy, que ainda chorava.

— Você vai — disse-lhe ele. — Hoje à noite. Eu prometo.


# 9

OS PRIMEIROS RELATOS FORAM enviados por telefone ao meio-dia, a tempo de chegar aos boletins das redes de televisão em todo o país. Os noticiários, famintos por uma história, apoderaram-se desta e mandaram os pesquisadores vasculharem os arquivos em busca dos registros do julgamento de Nancy Harmon por homicídio.

Os editores alugaram jatos para mandar seus principais repórteres criminais a Cape Cod.

Em San Francisco, dois assistentes de promotoria ouviram o boletim. Um disse ao outro: "Eu não disse sempre que a piranha era tão culpada que era como se eu mesmo a tivesse visto matar os filhos? Eu não disse? Então olhe aqui, se eles não enforcarem a mulher desta vez, vou tirar uma licença e varrer pessoalmente o planeta até encontrar aquele lixo do Legler e obrigá-lo a voltar aqui para testemunhar contra ela."

Em Boston, o Dr. Lendon Miles desfrutava o começo de seu intervalo para o almoço. A Sra. Markley tinha acabado de sair. Depois de um ano de intensa terapia, ela finalmente estava começando a ter um discernimento muito bom. Ela fizera uma observação engraçada alguns minutos atrás. Estava discutindo um episódio de seus 14 anos e disse: "Percebe que graças a você vou passar pela adolescência e mudar de vida ao mesmo tempo? É um inferno e tanto." Só alguns meses antes, ela não fazia brincadeiras assim.

Lendon Miles gostava de sua profissão. Para ele, a mente era um fenômeno delicado e complexo — um mistério que só podia ser revelado por uma série de revelações infinitamente pequenas... Uma levava lenta e pacientemente à seguinte. Sua cliente das dez horas estava no início da análise e tinha sido extremamente hostil.

Ele ligou o rádio ao lado da mesa para ouvir o noticiário do meio-dia e pegou o boletim bem a tempo.

A sombra de uma antiga dor atravessou seu rosto. Nancy Harmon... A filha de Priscilla. Depois de 14 anos, ele ainda podia ver Priscilla com muita clareza: o corpo magro e elegante; o modo como erguia a cabeça; o sorriso que se abria vivaz.

Ela começara a trabalhar para ele um ano depois da morte do marido. Tinha 38 anos na época, dois anos mais nova do que ele. Quase de imediato, ele começara a levá-la pra jantar quando trabalhavam até tarde, e logo percebera que pela primeira vez na vida a idéia do casamento parecia lógica e até essencial. Até conhecer Priscilla, o trabalho, os estudos, os amigos e a liberdade haviam bastado; ele simplesmente nunca conhecera ninguém que o fizesse querer mudar seu *status quo*.

Aos poucos, ela lhe contara sobre si mesma. Casada depois do primeiro ano na faculdade com um piloto de avião, ela tivera uma filha. O casamento obviamente fora feliz. Depois, em uma viagem à Índia, o marido voltara com uma pneumonia viral e morrera 24 horas depois.

— Foi tão difícil — dissera Priscilla a ele. — Dave voou mais de um milhão de milhas. Ele baixava os 707 debaixo de temporal. E então uma coisa totalmente inesperada... Eu não sabia que as pessoas ainda morriam de pneumonia.

Lendon não conheceu a filha de Priscilla. Ela partira para estudar em San Francisco logo depois de Priscilla começar a trabalhar para ele. Priscilla falara de seus motivos para mandar a filha para tão longe.

— Ela estava crescendo perto demais de mim — disse Priscilla, preocupada. — Encarou a morte de Dave muito mal. Quero que ela seja feliz e jovem e fique longe de todo esse clima de luto que acho estar se fechando sobre nós. Fui para Auberley e conheci Dave quando estive por lá. Nancy foi comigo a reuniões de ex-alunos, e assim não é um ambiente estranho demais para ela.

Em novembro, Priscilla tirara alguns dias de folga para visitar Nancy na universidade. Lendon a levara de carro ao aeroporto. Por alguns minutos, eles ficaram no terminal, esperando que o vôo dela fosse anunciado.

— É claro que você sabe que vou sentir uma saudade enorme de você — disse-lhe ele.

Ela usava um casaco de camurça marrom-escuro que escondia sua aristocrática beleza loura.

— Assim espero — respondera ela, e seus olhos ficaram toldados. — Estou tão preocupada. As cartas de Nancy são tão tristes ultimamente. Estou com um medo horrível. Já teve a sensação de que alguma coisa medonha está esperando por você?

E então, quando ele a fitou, os dois começaram a rir.

— Entende agora por que não ousei mencionar isso antes? — disse ela. — Eu sabia que você ia pensar que era loucura minha.

— Pelo contrário, minha experiência me ensinou a apreciar o valor dos pressentimentos, só que eu chamo de intuição. Mas por que não me contou que estava tão preocupada? Talvez eu devesse ir com você. Queria ter conhecido a Nancy antes de ela partir.

— Ah, não. Provavelmente estou sendo supermãe. De qualquer forma, vou usar seus serviços quando voltar. — Os dedos dos dois, de algum modo, se entrelaçaram.

— Não se preocupe. Todos os filhos se arranjam e, se houver algum problema de verdade, pego um avião no fim de semana, se quiser que eu vá.

— Eu não devia incomodar você...

Uma voz impessoal saiu pelo alto-falante: "Vôo cinco-meia-nove com destino a San Francisco. Embarque..."

— Priscilla, pelo amor de Deus, não percebe que eu te amo?

— Fico feliz... Eu acho... Eu sei... Eu também te amo.

Seu último momento juntos. Um começo... uma promessa de amor.

Ela ligara para ele na noite seguinte. Para dizer que estava preocupada e precisava conversar. Estava no jantar com Nancy, mas ligaria assim que voltasse ao hotel. Ele estaria em casa?

Ele esperou a noite toda pelo telefonema. Mas não aconteceu. Ela nunca voltou para o hotel. No dia seguinte ele foi informado do acidente. Houve um defeito na barra de direção do carro que ela alugara. O carro saiu da estrada e tombou em uma vala.

Ele devia ter procurado Nancy. Mas quando finalmente conseguiu saber onde ela estava morando, falou com Carl Harmon, o professor que disse que ele e Nancy pretendiam se casar. Ele parecia perfeitamente competente e muito senhor da situação. Nancy não voltaria para o Ohio. Eles haviam contado seus planos à mãe dela no jantar. A Sra. Kiernan ficara preocupada por Nancy ser muito nova, mas isso era natural. Ela seria enterrada lá, onde o marido estava sepultado; a família, afinal, morava na Califórnia havia três gerações, até Nancy ser um bebê. Nancy estava lidando muito bem com tudo. Ele achava que era melhor eles se casarem numa cerimônia traqüila o quanto antes. Nancy não devia ficar sozinha agora.

Não havia nada que Lendon pudesse fazer. O que ele poderia fazer? Dizer a Nancy que ele e a mãe dela estavam apaixonados? Era provável que ela simplesmente se ressentisse dele. Aquele professor Harmon parecia ótimo, e sem dúvida Priscilla simplesmente estava preocupada que Nancy desse um passo tão decisivo como um casamento apenas aos 18 anos. Mas certamente não havia nada que ele, Lendon, pudesse fazer a respeito desta decisão.

Ele ficara feliz em aceitar a oferta para lecionar na Universidade de Londres. Por isso que saíra do país e não soubera do julgamento de assassinato dos Harmon, não antes que tudo tivesse acabado.

Foi na Universidade de Londres que ele conhecera Allison. Ela era professora lá, e o senso de partilha que Priscilla começara a demonstrar com ele tornara impossível que voltasse a sua vida organizada, solitária — egoísta. De vez em quando ele se perguntava onde Nancy Harmon tinha desaparecido. Ele estava morando na região de Boston havia dois anos, e ela estava só a uma hora e meia de distância. Talvez agora ele pudesse, de alguma maneira, compensar pelo modo como fracassara com Priscilla.

O telefone tocou. Um segundo depois, o intercomunicador piscou em seu aparelho. Ele pegou o fone.

— A Sra. Miles ao telefone, doutor — disse a secretária.

A voz de Allison estava cheia de preocupação.

— Querido, por acaso ouviu as notícias sobre a garota Harmon?

— Sim, ouvi. — Ele havia contado a Allison sobre Priscilla.

— O que você vai fazer?

A pergunta dela cristalizou a decisão que ele já havia tomado subconscientemente.

— O que devia ter feito há anos. Vou tentar ajudar essa menina. Ligo para você assim que puder.

— Deus o abençoe, querido.

Lendon pegou o intercomunicador e falou rapidamente com a secretária.

— Peça ao Dr. Marcus para cobrir minhas consultas da tarde, por favor. Diga a ele que é uma emergência. E cancele minha aula das quatro horas. Vou a Cape Cod imediatamente.

# 10 _____

— COMEÇAMOS A DRAGAR O LAGO, Ray. Estamos mandando boletins para as emissoras de rádio e TV e vamos conseguir homens de toda parte para ajudar nas buscas. — O chefe de polícia de Adams Port, Jed Coffin, tentou adotar o tom comovido que usaria normalmente com duas crianças desaparecidas.

Mas mesmo vendo a agonia nos olhos de Ray e a palidez cinzenta em seu rosto, era difícil parecer tranqüilizador e solícito. Ray o enganara — apresentara-o à esposa, dissera que ela era procedente da Virgínia e havia conhecido Dorothy lá. Ele o enchera de papo-furado e nunca contou a verdade. E o chefe não tinha adivinhado — nem suspeitado. Era isso que o irritava. Nem uma vez ele havia suspeitado.

Para o chefe Coffin, o que acontecera estava muito claro. Aquela mulher vira o artigo sobre si mesma no jornal, percebera que todos saberiam quem ela era e ficara fora de si. Fizera com essas pobres crianças a mesma coisa que havia feito com as outras. Analisando-o com astúcia, ele supôs que Ray estava pensando praticamente a mesma coisa.

Pedaços chamuscados do jornal ainda estavam na lareira. O chefe percebeu que Ray olhava para eles. Pelo modo como as partes ainda não queimadas tinham sido rasgadas, era óbvio que fora obra de alguém fora de si.

— O Dr. Smathers ainda está lá em cima com ela? — Havia uma agressividade inconsciente na pergunta. Ele sempre chamava Nancy de "Sra. Eldredge", até agora.

— Está. Vai dar uma injeção para que ela relaxe, mas não para que durma. Temos que conversar com ela. Ah, meu Deus!

Ray se sentou à mesa da sala de jantar e enterrou o rosto nas mãos. Apenas algumas horas antes Nancy estava sentada nesta mesma cadeira com Missy nos braços e Mike perguntava: "É seu aniversário mesmo, mamãe?" Será que ele incitara alguma coisa em Nancy, exigindo que ela comemorasse?... E depois aquele artigo. Será...?

— Não! — Ray olhou para cima e pestanejou, desviando-se da visão do policial parado na porta dos fundos.

— O que foi? — perguntou o chefe Coffin.

— Nancy era incapaz de machucar as crianças. O que quer que tenha acontecido, não foi isso.

— Sua esposa, em seu juízo perfeito, não as machucaria, mas já vi mulheres caindo no fundo do poço, e tem a história...

Ray levantou-se. Suas mãos agarravam a borda da mesa. Seu olhar passou pelo chefe, desprezando-o.

— Preciso de ajuda — disse ele. — Ajuda de verdade.

A sala estava um caos. A polícia fizera uma busca rápida pela casa antes de se concentrar no lado de fora. Um fotógrafo da polícia ainda estava tirando fotos da cozinha, onde a cafeteira caíra, esparramando café preto pelo fogão e pelo chão. O telefone tocava incessantemente. A cada chamada, o policial que atendia dizia: "O chefe fará uma declaração mais tarde."

O policial do telefone veio até a mesa.

— Era a AP — disse ele. — Toda a imprensa já sabe. Daqui a uma hora vai ser um tumulto danado.

A imprensa. Ray se lembrava da expressão assombrada que só aos poucos foi deixando o rosto de Nancy. Ele pensou na foto do jornal desta manhã, com a mão dela erguida como se tentasse aparar golpes. Passou esbarrando pelo chefe Coffin e subiu a escada, abrindo a porta do quarto principal. O médico estava sentado ao lado de Nancy, segurando as mãos dela.

— Você pode me ouvir, Nancy — dizia ele. — Você sabe que pode me ouvir. Ray está aqui. Ele está muito preocupado com você. Fale com ele, Nancy.

Os olhos dela estavam fechados. Dorothy tinha ajudado Ray a lhe tirar as roupas molhadas. Eles a vestiram num roupão amarelo atoalhado, mas ela parecia curiosamente pequena e inerte dentro dele — não muito diferente de uma criança.

Ray se curvou para ela.

— Querida, por favor, você precisa ajudar as crianças. Temos que encontrá-las. Elas precisam de você. Tente, Nancy... Por favor, tente.

— Ray, eu não faria isso — alertou o Dr. Smathers. Seu rosto enrugado e sensível tinha vincos profundos. — Ela teve um choque terrível... por ter lido o artigo ou outra coisa. Sua mente está lutando para enfrentar esse choque.

— Mas temos de saber o que houve — disse Ray com intensidade. — Talvez ela até tenha visto alguém levar as crianças. Nancy, eu sei, eu entendo. Está tudo bem com relação ao jornal. Vamos enfrentar isso juntos. Mas, querida, onde estão as crianças? Você deve nos ajudar a encontrá-las. Acha que estavam perto do lago?

Nancy estremeceu. Um grito estranho saiu de algum lugar em sua garganta. Seus lábios formaram palavras:

— Encontre-as... encontre-as.

— Vamos encontrá-las. Mas você precisa ajudar, por favor. Querida, vou ajudar você a se sentar. Você consegue. Agora, vamos.

Ray abaixou-se e apoiou-a nos braços. Ele viu a pele áspera em seu rosto, onde a areia tinha queimado. Ainda havia areia molhada presa nos cabelos. Por quê? A não ser...

— Eu lhe dei uma injeção — disse o médico. — Deve aliviar a ansiedade, mas não será o bastante para sedá-la.

Ela se sentia muito pesada e confusa. Foi assim que ela havia se sentido por tanto tempo — desde a noite em que a mãe morreu — ou talvez até antes disso — tão indefesa, tão maleável... Tão incapaz de decidir qualquer coisa ou de se mexer, ou até de falar. Ela podia se lembrar das muitas noites em que seus olhos ficaram colados — tão pesados, tão cansados. Carl fora paciente com ela. Ele fizera de tudo por ela. Sempre dissera a si mesma que tinha de ser forte, tinha de superar aquela letargia terrível, mas nunca conseguiu.

Mas isso foi há muito tempo. Ela não pensava mais nisso — não em Carl; não nas crianças; não em Rob Legler, o estudante bonito que parecia gostar dela, que a fazia rir. As crianças ficavam tão alegres quando ele estava presente, tão felizes. Ela pensara que ele era um verdadeiro amigo — mas depois ele se sentou no banco das testemunhas e declarou: "Ela me disse que seus filhos acabariam sufocados. Foi exatamente isso que ela disse, quatro dias antes de eles desaparecerem."

— Nancy, por favor. Por que você foi ao lago?

Ela ouviu o som abafado que fazia. O lago. As crianças foram para lá? Ela precisava procurar por eles.

Ela sentiu Ray erguendo-a e afundou nele, mas depois obrigou seu corpo a começar a se sentar. Seria muito mais fácil escorregar, deslizar no sono, como estava acostumada a fazer.

— Isso, Nancy. Isso mesmo. — Ray olhou para o médico. — Acha que uma xícara de café...?

O médico assentiu.

— Vou pedir a Dorothy para fazer.

Café. Ela estava fazendo café quando viu a foto no jornal. Nancy abriu os olhos.

— Ray — sussurrou ela —, eles vão saber. Todo mundo vai saber. Você não pode esconder... não pode esconder. — Mas havia mais alguma coisa. — As crianças. — Ela apertou o braço dele. — Ray, encontre-as... encontre meus filhos.

— Calma, querida. É isso que preciso de você. Você tem que nos contar. Cada detalhezinho. Só procure se orientar por alguns minutos.

Dorothy entrou com uma xícara de café fumegante na mão.

— Fiz o instantâneo. Como está ela?

— Está voltando.

— O capitão Coffin está ansioso para começar a interrogá-la.

— Ray! — O pânico levou Nancy a agarrar o braço de Ray.

— Querida, é só que precisamos ajudar a encontrar as crianças. Está tudo bem.

Ela tomou o café, acolhendo o calor extremo e o sabor enquanto engolia. Se ela pudesse pensar... só despertar... só perder essa sonolência terrível.

A voz dela. Agora conseguia falar. Seus lábios pareciam de borracha, grossos, esponjosos. Mas precisava falar... Fazer com que eles achassem as crianças. Ela queria descer. Não devia ficar aqui... como da última vez... esperando em seu quarto... incapaz de descer ao primeiro andar... para ver todas as pessoas lá embaixo... os policiais... as esposas da universidade... Haveria algum parente?... Quer que a gente ligue para alguém?... Ninguém... Ninguém... Ninguém...

Apoiando-se no braço de Ray, ela se colocou ereta. Ray. Ela agora tinha esse braço em que se apoiar. Os filhos dele. Os filhos dele.

— Ray... Eu não fiz nenhum mal a eles...

— É claro que não, querida.

A voz tão reconfortante... O som de choque. É claro que ele estava chocado. Estava se perguntando por que ela negaria isso. Nenhuma boa mãe falava em fazer mal aos filhos. Por que então ela...?

Com um esforço supremo, ela tateou até a porta. O braço dele em sua cintura estabilizava seus passos. Ela não sentia os pés. Eles não estavam ali. Ela não estava ali. Era um daqueles pesadelos. Em alguns minutos ela acordaria, como acontecera tantas noites, sairia da cama e veria Missy e Michael, os cobriria e depois voltaria para a cama — suave e silenciosamente, sem acordar Ray. Mas no sono ele estenderia a mão e seus braços a puxariam para perto dele e, com o cheiro quente de Ray, ela se acalmaria e dormiria.

Eles começaram a descer a escada. Tantos policiais. Todo mundo olhando para ela... A curiosidade imóvel... suspensa no tempo.

O chefe Coffin estava à mesa da sala de jantar. Ela podia sentir a hostilidade dele... Como na última vez.

— Sra. Eldredge, como está se sentindo?

Uma pergunta mecânica, descuidada. Provavelmente ele nem teria se incomodado em perguntar, só que Ray estava ali.

— Estou bem. — Ela jamais gostara daquele homem.

— Estamos procurando pelas crianças. Tenho toda a confiança de que vamos encontrá-las rapidamente. Mas a senhora precisa nos ajudar. Quando foi a última vez que viu seus filhos?

— Alguns minutos antes das dez. Eu os coloquei no quintal para brincar e subi para fazer as camas.

— Quanto tempo ficou lá em cima?

— Dez minutos... No máximo 15.

— E depois, o que a senhora fez?

— Desci. Ia ligar a máquina de lavar e chamar as crianças. Mas quando comecei a lavar a roupa, decidi esquentar o café. Depois vi o entregador do jornal da comunidade.

— A senhora falou com ele?

— Não. Eu não quis dizer com isso que o *vi*. Fui pegar o jornal e ele estava virando a esquina.

— Entendi. O que aconteceu depois?

— Voltei para a cozinha, liguei a cafeteira... ainda estava bem quente. Comecei a folhear o jornal.

— E viu o artigo sobre a senhora.

Nancy olhava fixamente para a frente e assentiu.

— Como reagiu ao ver o artigo?

— Acho que comecei a gritar... não sei...

— O que aconteceu com a cafeteira?

— Derrubei... O café caiu todo. Queimei minha mão.

— Por que fez isso?

— Não sei. Não era minha intenção. Era só que eu ia explodir. Eu sabia que todo mundo começaria a olhar para mim de novo. Iam me encarar e cochichar. Iam dizer que matei as crianças. E Michael não devia ver isso. Corri com o jornal. Eu o enfiei na lareira. Acendi um fósforo e ele queimou... começou a queimar... e eu sabia que tinha de pegar Michael e Missy... tinha que escondê-los. Mas foi como aconteceu da última vez. Quando as crianças desapareceram. Eu corri para pegar Michael e Missy. Estava com medo.

— Bem, isso é importante. A senhora viu as crianças?

— Não. Tinham sumido. Comecei a gritar. Corri até o lago.

— Sra. Eldredge, isto é muito importante: por que a senhora foi ao lago? Seu marido me disse que as crianças nunca desobedeciam à ordem de não ir até lá. Por que não procurou por elas na rua, ou no bosque, ou viu se tinham decidido dar um passeio pela cidade para comprar seu presente de aniversário? Por que o lago?

— Porque eu estava com medo. Porque Peter e Lisa foram afogados. Porque eu tinha que encontrar Michael e Missy. A luva de Missy estava presa no balanço. Ela sempre perdia uma luva. Corri até o lago, tinha que pegar as crianças. Ia ser exatamente como da última vez... suas carinhas molhadas e imóveis... e elas não iam falar comigo...

O chefe Coffin endireitou-se. Sua voz assumiu um tom formal.

— Sra. Eldredge — disse ele —, é meu dever informá-la de que a senhora tem direito a um advogado antes de responder a quaisquer perguntas e que qualquer coisa que disser poderá ser usada contra a senhora.

Sem esperar pela resposta dela, ele se levantou, saiu da sala e foi até a porta dos fundos. Uma carro com um policial ao volante estava esperando por ele na entrada do quintal. Ao sair da casa, bolinhas finas e rígidas de granizo picaram seu rosto e sua cabeça. Ele entrou no carro e o vento bateu a porta, raspando-a em seu sapato. Ele pestanejou com a pontada de dor no tornozelo e grunhiu:

— O lago.

Era improvável que fizessem qualquer busca se o clima ficasse ainda pior. Ao meio-dia, já estava tão escuro que parecia noite. A operação de mergulho já era uma confusão sob condições ideais. O Maushop estava entre os maiores lagos do Cape, e um dos mais fundos e mais traiçoeiros. Era por isso que com o passar dos anos tantos afogamentos haviam acontecido ali. Podia-se estar com água até a cintura e, no passo seguinte, 12 metros abaixo da água. Se aquelas crianças tinham se afogado, era possível que a primavera chegasse antes que seus corpos viessem à superfície. Do jeito que a temperatura estava caindo, o lago seria adequado para patinação no gelo em alguns dias.

A margem do lago, normalmente deserta nesta época do ano e certamente com esse clima, estava apinhada de espectadores, que se espremiam em pequenos grupos, observando em silêncio a área cercada por cordas onde os mergulhadores e seu aparato eram flanqueados pela polícia.

O chefe Coffin saltou da viatura e correu até a margem. Foi diretamente a Pete Regan, o tenente que estava supervisionando a operação. O dar de ombros eloqüente de Pete respondeu à pergunta que ele não fizera.

Encolhendo os ombros dentro do casaco, o chefe bateu os pés para se livrar do granizo derretido nos sapatos. Ele se perguntou se era daqui que Nancy Eldredge arrastara os filhos para a água. Agora os homens estavam arriscando a vida por causa dela. Só Deus sabia onde ou quando aquelas pobres criancinhas seriam encontradas. Veja só o que aconteceu... Um aspecto técnico... Uma assassina condenada se livra porque um advogado espertinho consegue que uns juízes molengas anulem um julgamento.

Irritado, ele cuspiu o nome de Pete.

Pete se virou para ele rapidamente.

— Senhor?

— Quanto tempo esses caras pretendem continuar mergulhando?

— Eles desceram duas vezes, e depois desta sessão tentarão mais uma vez, depois vão fazer um intervalo e começar num local diferente. — Ele apontou para o equipamento de televisão. — Veja como ganhamos as manchetes hoje. É melhor ter uma declaração pronta.

Com os dedos entorpecidos, o chefe pôs as mãos nos bolsos do casaco.

— Já escrevi uma. — Ele a leu rapidamente. — "Estamos fazendo um esforço enorme para encontrar as crianças

Eldredge. Voluntários estão fazendo uma busca em cada quadra nas proximidades da casa, bem como nas áreas arborizadas do bairro. Helicópteros estão realizando um reconhecimento aéreo. A busca no lago Maushop, devido à proximidade da casa dos Eldredge, deve ser considerada uma extensão normal da investigação."

Mas alguns minutos depois, quando ele fez a declaração ao crescente grupo de repórteres, um deles perguntou:

— É verdade que Nancy Eldredge foi encontrada histérica e encharcada nesta parte do lago Maushop hoje de manhã, depois que os filhos desapareceram?

— Isso é verdade.

Um repórter magro de olhos penetrantes, que ele sabia ter ligações com a equipe do noticiário do Canal 5 de Boston, perguntou:

— Em vista deste fato e do passado da Sra. Eldredge, a busca no lago não assumiria um novo aspecto?

— Estamos explorando todas as possibilidades.

Agora as perguntas ficaram ásperas e rápidas, os repórteres se interrompendo para fazê-las.

— Em vista da tragédia passada, não deveria o desaparecimento das crianças Eldredge ser considerado de origem suspeita?

— Responder a esta pergunta pode ser uma violação aos direitos da Sra. Eldredge.

— Quando o senhor a interrogará novamente?

— Assim que for possível.

— Sabe se a Sra. Eldredge estava ciente do artigo sobre ela que saiu esta manhã?

— Acredito que sim.

— Qual foi a reação dela ao artigo?

— Não posso dizer.

— Não é um fato que a maior parte das pessoas desta cidade, se não todas, ignorava o passado da Sra. Eldredge?

— É verdade.

— O senhor sabia da identidade dela?

— Não. Eu não sabia. — O chefe falou entre dentes. — Sem mais perguntas.

E então, antes que pudesse se afastar, outra pergunta surgiu. Um repórter do *Boston Herald* bloqueou seu caminho e todos os outros pararam de tentar atrair a atenção do chefe quando o ouviram perguntar em voz alta:

— Senhor, nos últimos seis anos não houve várias mortes não solucionadas de crianças no Cape e no continente próximo?

— É verdade.

— Chefe Coffin, há quanto tempo Nancy Eldredge está morando no Cape?

— Acredito que há seis anos.

— Obrigado, chefe.

# 11

JONATHAN KNOWLES NÃO PERCEBEU há quanto tempo estava divagando. Nem estava ciente da atividade na área perto do lago Maushop. Seu subconsciente registrara o fato de que um trânsito mais pesado do que o de costume passava na estrada em frente de sua casa. Mas seu estúdio ficava nos fundos, e grande parte do som era filtrado antes de chegar a seus ouvidos.

Depois do choque inicial de saber que a esposa de Ray Eldredge era a notória Nancy Harmon, ele pegou outra xícara de café e se acomodou à mesa. Resolveu se prender a seu cronograma — começar a analisar o caso Harmon, como havia planejado. Se descobrisse que o fato de conhecer Nancy Harmon pessoalmente poderia de alguma forma obscurecer sua capacidade de escrever sobre ela, Jonathan simplesmente eliminaria este capítulo do livro.

Ele começou a pesquisa estudando cuidadosamente o artigo sensacionalista no jornal do Cape. Com detalhes horríveis que insidiosamente evocavam o pavor no leitor, analisava o passado de Nancy Harmon como a jovem esposa de um professor universitário... dois filhos... uma casa no campus. Uma situação ideal até o dia em que o professor Harmon mandou um aluno à sua casa para consertar a calefação. O aluno tinha boa aparência, era falastrão e experiente com as mulheres. E Nancy — mal tinha 25 anos — ficara caída por ele.

Jonathan leu trechos dos depoimentos do julgamento no artigo. O aluno, Rob Legler, explicou como tinha conhecido Nancy. "Quando o professor Harmon recebeu um telefonema da esposa falando que a calefação não funcionava, eu estava na sala dele. Não havia nada de mecânica que eu não pudesse consertar, então me ofereci para resolver. Ele não queria que eu fizesse isso, mas não podia pagar pelo serviço de manutenção e tinha que recuperar o aquecimento de sua casa."

"Ele lhe deu alguma instrução específica relacionada à família dele?", perguntou o promotor.

"Sim. Disse que a esposa não estava bem e que eu não deveria incomodá-la; que se eu precisasse de alguma coisa, ou quisesse discutir qualquer problema que encontrasse, deveria ligar para ele."

"O senhor obedeceu às instruções dadas pelo professor Harmon?"

"Eu teria obedecido, senhor, mas não pude evitar que a esposa me seguisse feito um cachorrinho."

"Protesto! Protesto!" Mas o advogado de defesa chegara atrasado demais. O argumento havia sido feito. E outras provas do aluno tinham sido totalmente prejudiciais. Ele foi indagado se havia tido algum contato físico com a Sra. Harmon.

A resposta dele foi direta: "Sim, senhor."

"Como isto aconteceu?"

"Eu estava mostrando a ela onde ficava o interruptor de emergência no aquecedor a óleo. Era um daqueles modelos antiquados que sopram ar quente, e o interruptor estava com um problema."

"O professor Harmon não lhe disse para não incomodar a Sra. Harmon com qualquer pergunta ou explicação?"

"Ela insistiu em saber. Disse que tinha que aprender a lidar com as coisas na casa dela. Então lhe mostrei. Depois ela ficou meio curvada para mim para experimentar o interruptor, e... bom, eu deduzi, por que não?... e tomei a iniciativa."

"O que a Sra. Harmon fez?"

"Ela gostou. Sei disso."

"Pode por favor explicar exatamente o que aconteceu?"

"Não foi realmente o que aconteceu. Porque, na verdade, não aconteceu nada. Foi só que ela gostou. Eu a girei, agarrei e beijei... e depois de um minuto, ela se afastou, mas não queria fazer isso."

"O que aconteceu em seguida?"

"Eu disse alguma coisa sobre isso ser muito bom."

"O que a Sra. Harmon respondeu?"

"Ela só olhou para mim e disse... quase como se não estivesse falando comigo... ela disse: 'Tenho que ir embora daqui'".

"Pensei que não queria me meter em nenhum problema. Quero dizer, eu não queria fazer nada para ser expulso da universidade e terminar sendo convocado para o Exército. Era por isso que estava na universidade. Então, eu disse: 'Olhe, Sra. Harmon'... só depois decidi que estava na hora de chamá-la de Nancy... então eu disse: 'Olhe, Nancy, não precisa ser um problema. Podemos pensar em fazer alguma coisa juntos sem que ninguém sequer suspeite. Você não pode ir embora daqui... você tem filhos'."

"Como a Sra. Harmon respondeu a esta declaração?"

"Bom, é engraçado. Foi aí que o menino... Peter... desceu a escada procurando por ela. Ele era um garoto muito quieto... não dava um pio. Ela pareceu irritada e disse: 'As crianças'; depois ela meio que riu e disse: 'Mas eles vão acabar sufocados aqui'".

"Sr. Legler, esta é uma declaração fundamental. Tem certeza de que está repetindo as palavras exatas da Sra. Harmon?"

"Sim, senhor, tenho. Fez com que eu me sentisse esquisito naquela hora. É por isso que tenho tanta certeza disso.

Mas é claro que não se acredita realmente que alguém seja sincero quando diz uma coisa dessas."

"Em que data Nancy Harmon fez essa declaração?"

"Era 13 de novembro. Eu sei porque, quando voltei à universidade, o professor Harmon insistiu em me dar um cheque pelo conserto do aquecedor."

"Em 13 de novembro... e quatro dias antes do desaparecimento das crianças Harmon do automóvel da mãe e por fim seu aparecimento nas margens da baía de San Francisco com sacos plásticos na cabeça... com efeito, sufocadas."

"É verdade."

O advogado de defesa tentou reduzir o impacto da história.

"O senhor continuou a abraçar a Sra. Harmon?"

"Não. Ela subiu com os filhos."

"Então só temos sua declaração de que ela gostou de seu beijo forçado."

"Acredite, reconheço uma garota receptiva quando estou com uma."

E o testemunho sob juramento de Nancy, quando indagada sobre o incidente:

"Sim, ele me beijou. Sim, acredito que eu soubesse que ele ia fazer isso e que deixei."

"A senhora também se lembra de fazer a declaração de que seus filhos iam acabar sufocados?"

"Sim, lembro."

"O que quis dizer com esta declaração?"

De acordo com o artigo, Nancy simplesmente olhou para o advogado e começou a olhar sem ver os rostos no tribunal.

"Não sei", disse ela numa voz sonhadora.

Jonathan sacudiu a cabeça e praguejou em silêncio. Essa garota nunca deveria ter tido permissão para sentar no banco das testemunhas. Só o que fez foi prejudicar seu caso. Ele continuou lendo e pestanejou quando chegou à descrição da descoberta daquelas crianças patéticas. Ambas vieram à superfície duas semanas depois e a 80 quilômetros de distância. Os corpos muito inchados, com algas, o corpo da garotinha violentamente mutilado — provavelmente por dentadas de tubarão; os suéteres vermelhos feitos à mão com o desenho branco ainda miraculosamente vívido nos corpos pequenos.

Ao terminar de ler o artigo, Jonathan voltou-se para o volumoso arquivo que Kevin lhe enviara. Recostando-se em sua cadeira, ele deu início à leitura, começando pelo primeiro recorte de jornal com a manchete do desaparecimento das crianças Harmon do carro da mãe enquanto ela fazia compras. Ampliações reticuladas de instantâneos das duas crianças; uma descrição minuciosamente detalhada de seu peso e altura e o que estavam vestindo; quem quer que tenha informações, por favor, ligue para este número especial. Com a mente e os olhos cuidadosamente treinados, Jonathan leu rapidamente, classificando e assimilando informações, sublinhando de leve dados importantes a que queria voltar posteriormente. Quando começou a ler a transcrição do julgamento, entendeu por que Kevin se referira a Nancy Harmon como uma presa fácil para o promotor. A garota não dizia coisa com coisa. Pelo modo como testemunhou, fora completamente manipulada pelo promotor — sem ligar; seus protestos de inocência pareciam mecânicos e sem emoção.

Qual era o problema dela?, perguntou-se Jonathan. Era quase como se não quisesse ser libertada. A certa altura, chegou a dizer ao marido do banco das testemunhas: "Ah, Carl, pode me perdoar?"

Os vincos na testa de Jonathan se aprofundaram quando ele se lembrou de que apenas algumas horas antes tinha passado pela casa dos Eldredge e visto aquela família jovem em volta da mesa do café-da-manhã. Ele os comparara com sua própria solidão e sentira inveja. Agora a vida deles estava despedaçada. Não conseguiriam ficar em uma comunidade tão isolada como o Cape, sabendo que em toda parte a que fossem as pessoas iam apontar e falar. Qualquer um reconheceria Nancy de imediato a partir daquela foto. Até ele se lembrava de tê-la visto usando aquele terninho de tweed — e recentemente também.

De repente, Jonathan se lembrou da ocasião. Foi no Lowery's Market. Ele correra até Nancy quando os dois estavam fazendo compras e haviam parado por alguns minutos para conversar. Ele admirara o terninho dela, dizendo-lhe que nada dava uma aparência melhor do que tweed — e lã pura, é claro; nada daquele lixo sintético que não tinha profundidade nem brilho.

Nancy estava muito bonita. Um cachecol amarelo pendia casualmente em seu pescoço e dava um toque amarelo ao marrom predominante e ao tecido cor de ferrugem. Ela sorrira — um sorriso adorável e caloroso que o envolveu. As crianças estavam com ela — crianças gentis e educadas, as duas. Depois o menino havia dito: "Ah, mamãe, vou pegar o cereal" e, ao estender a mão para as caixas, derrubara toda uma pirâmide de latas de sopa.

O barulho fez com que todos na loja corressem, inclusive o próprio Lowery, que era um homem azedo e desagradável. Muitas jovens mães talvez tivessem ficado constrangidas e começado a repreender a criança. Jonathan admirara o modo como Nancy dissera bem baixinho: "Desculpe, Sr. Lowery. Foi um acidente. Vamos arrumar tudo."

Depois ela havia dito ao garotinho, que parecia magoado e preocupado: "Não fique triste, Mike. Você não teve a intenção. Venha. Vamos empilhar as latas de novo."

Jonathan ajudara a arrumar as latas depois de lançar um olhar ameaçador a Lowery, que obviamente estava prestes a fazer alguma observação. Parecia tão difícil acreditar que sete anos atrás essa mesma jovem atenciosa tivesse, deliberadamente, tirado a vida de outros dois filhos — crianças que ela trouxera à vida.

Mas a paixão era um motivo poderoso, e ela era jovem. Talvez sua própria indiferença no julgamento tivesse sido a aceitação da culpa, embora ela não pudesse admitir publicamente um crime tão hediondo. Ele já vira esse tipo de coisa antes.

A campainha tocou e Jonathan se levantou da cadeira, surpreso. Poucas pessoas faziam visitas sem serem anunciadas no Cape e qualquer venda domiciliar era absolutamente proibida.

Enquanto seguia para a porta, Jonathan percebeu como se enrijecera de ficar tanto tempo sentado. Para sua surpresa, seu visitante era um policial, um jovem cujo rosto ele reconhecia vagamente de vê-lo em uma viatura. *Vendendo ingresso para alguma coisa*, foi o pensamento imediato de Jonathan, mas ele descartou a idéia rapidamente. O jovem policial aceitou seu convite para entrar. Havia algo de eficiente e sério em suas maneiras.

— Senhor, lamento incomodá-lo, mas estamos investigando o desaparecimento das crianças Eldredge.

E então, enquanto Jonathan o encarava, ele sacou um bloco. Com os olhos dardejando pela casa arrumada, ele começou a fazer perguntas.

— O senhor mora sozinho aqui, não é?

Sem responder, Jonathan passou por ele e abriu a enorme porta da frente. Por fim percebeu a presença de carros desconhecidos passando pela estrada na direção do lago e a visão de homens de expressão sombria e capas pesadas de chuva enxameando pelo bairro.

## 12

— TOME ISTO, NANCY. Suas mãos estão muito frias. Vai ajudá-la. Você precisa se fortalecer. — A voz de Dorothy era aduladora. Nancy sacudiu a cabeça. Dorothy baixou a xícara na mesa, esperando que o aroma de vegetais frescos, borbulhando em uma base temperada de sopa de tomate, pudesse tentá-la.

— Eu fiz ontem — disse Nancy sem entonação na voz — para o almoço das crianças. Elas devem estar famintas.

Ray estava sentado ao lado dela, o braço protetor atrás de sua cadeira, um cinzeiro cheio de pontas de cigarro diante dele.

— Não se torture, querida — disse ele em voz baixa.

Do lado de fora, por sobre o matraquear das cortinas e vidraças, eles podiam ouvir o som dos helicópteros voando baixo.

Ray respondeu à pergunta que viu no rosto de Nancy:

— Conseguiram três helicópteros para varrer esta área. Vão localizar as crianças se elas estiverem andando por aí. Conseguiram voluntários de cada cidade do Cape. Também têm dois aviões sobrevoando a baía e o mar. Todo mundo está ajudando.

— E há mergulhadores no lago — disse Nancy —, procurando pelos corpos dos meus filhos. — Sua voz era monótona e distante.

Depois de fazer a declaração à imprensa, o chefe Coffin voltara à delegacia para dar uma série de telefonemas. Quando foram concluídos, ele voltou à casa dos Eldredge, chegando bem a tempo de ouvir as palavras de Nancy. Seu olhar experiente pegou os olhos arregalados de Nancy, a imobilidade agourenta de suas mãos e corpo, a expressão e a voz dóceis. Aproximava-se do estado de choque novamente, e eles teriam sorte se muito em breve ela fosse capaz de pronunciar o próprio nome.

Seus olhos passaram por ela e procuraram por Bernie Mills, o policial que ficara de serviço na casa. Bernie estava parado à soleira da porta da cozinha, postado para pegar o telefone se ele tocasse. O cabelo cor de areia de Bernie estava elegantemente emplastrado no crânio ossudo. Seus olhos esbugalhados, atenuados por cílios curtos e louros, moviam-se horizontalmente. Aceitando o recado que lhe fora dado, o chefe Coffin olhou novamente para o trio em volta da mesa. Ray se levantou, foi para trás da cadeira da esposa e pôs as mãos nos ombros dela.

Vinte anos desapareceram para Jed Coffin. Ele se lembrava da noite em que recebera um telefonema no distrito quando era um policial novato em Boston, informando que a família de Delia sofrera um acidente e não era provável que tivessem sobrevivido.

Ele fora para casa. Ela estava sentada na cozinha de camisola e robe, tomando uma xícara de seu chocolate quente instantâneo preferido, lendo o jornal. Ela se virara, surpresa por vê-lo tão cedo, mas sorrindo, e antes que ele dissesse uma palavra sequer, ele tinha feito o que Ray Eldredge estava fazendo agora — apertando os ombros dela, abraçando-a.

Que diabos, não era essa porcaria de discurso de partida que os comissários de bordo tagarelavam nos aviões? "Na eventualidade de um pouso de emergência, fiquem sentados retos, segurem os braços de suas poltronas, plantem os pés com firmeza no chão." O que eles estavam dizendo era: "Deixe que o choque atravesse você."

— Ray, posso falar com você em particular? — perguntou ele abruptamente.

As mãos de Ray continuaram firmes nos ombros de Nancy quando o corpo dela começou a tremer.

— Vocês encontraram meus filhos? — perguntou ela. Agora a voz dela era quase um sussurro.

— Querida, ele nos diria se tivesse encontrado as crianças. Fique sentada bem aqui. Volto logo. — Ray se curvou e por um momento encostou o rosto no dela. Sem parecer esperar uma resposta, ele se endireitou e levou o chefe através do hall de ligação até a sala de estar.

Jed Coffin sentiu uma admiração involuntária pelo jovem alto que se posicionou ao lado da lareira antes de se virar para encará-lo. Havia algo tão intrinsecamente confiante em Ray, mesmo naquelas circunstâncias. Rapidamente, ele se lembrou de que Ray fora condecorado por liderança de destaque sob fogo no Vietnã e recebera uma promoção de campo para capitão.

Ele tinha classe, não havia dúvida. Havia uma classe inerente no modo como Ray parava de pé, em como falava, vestia-se e se movimentava; nos contornos firmes de seu queixo e da boca; na mão forte e bem-torneada que pousava de leve na cornija da lareira.

Protelando para recuperar seu senso de retidão e autoridade, Jed olhou lentamente ao redor da sala. As tábuas largas de carvalho do piso brilhavam suavemente sob os tapetes ovais; havia uma pia decorativa entre as janelas. As suaves paredes cor de creme eram cobertas de quadros. Jed percebeu que as cenas eram conhecidas. A tela grande sobre a lareira era do jardim de rochas de Nancy Eldredge. A cena de cemitério campestre sobre o piano era do antigo cemitério particular na estrada que saía da capela de Nossa Senhora. A pintura emoldurada em pinho sobre o sofá capturara o toque de volta ao lar do Sesuit Harbor ao pôr-do-sol enquanto todos os barcos chegavam velejando. A aquarela do pântano ventoso tinha a antiga casa dos Hunt — A Sentinela — mal delineada ao fundo.

Jed de vez em quando via Nancy Eldredge desenhando pela cidade, mas nunca imaginou que ela fosse tão boa. A maioria das mulheres que conhecia e brincavam com esse tipo de coisa em geral acabavam emoldurando coisas que mais pareciam obras de criancinhas.

Prateleiras embutidas ladeavam a lareira. As antigas mesas feitas de pinho pesado e gasto não eram diferentes das que ele doara ao bazar da igreja depois que sua avó morreu. Abajures de estanho iguais aos dela estavam nas mesinhas ao lado das poltronas confortáveis. A cadeira de balanço perto da lareira tinha estofamento bordado à mão no assento e no espaldar.

Pouco à vontade, Jed comparou esta sala com a própria sala de estar recém-decorada. Delia escolhera vinil preto para o sofá e as poltronas; uma mesa com tampo de vidro com pernas de aço; carpete cobrindo todo o piso — espesso e amarelo, que agarrava cada gota de saliva ou xixi que o cão dachshund ainda não adestrado fazia nele.

— O que você quer, chefe? — A voz de Ray era fria e inamistosa. O chefe sabia que, para Ray, ele era um inimigo. Ray vira na advertência de rotina que fizera a Nancy sobre os direitos dela. Ray sabia exatamente como ele se sentia e estava se opondo a ele. Bem, se era uma briga que ele queria...

Com a tranqüilidade gerada pela experiência adquirida em incontáveis sessões semelhantes, Jed Coffin procurou pelo ponto fraco e dirigiu sua atenção para ele.

— Quem é o advogado de sua esposa, Ray? — perguntou ele secamente.

Um tremor de incerteza, um enrijecer do corpo traiu a resposta. Exatamente como Jed imaginara, Ray não dera o passo decisivo. Ainda tentava fingir que a mulher era a prosaica mãe atormentada de filhos desaparecidos. Meu Deus, ele provavelmente ia querer colocá-la nos noticiários desta noite, torcendo o lenço entre as mãos, a voz suplicante: "Devolva meus filhos."

Bem, Jed tinha novidades para Ray. Sua preciosa esposa já fizera aquela cena antes. Jed podia conseguir cópias do filme de sete anos que os jornais haviam chamado de "um apelo comovente". Na verdade, o assistente do promotor de San Francisco oferecera-se para fornecê-lo durante sua conversa telefônica apenas meia hora antes. "Vai poupar a essa vaca o trabalho de encenar tudo aquilo de novo", dissera ele.

Ray falou em voz baixa, o tom um pouquinho mais subjugado.

— Não falamos com um advogado — disse ele. — Eu esperava que talvez... com todo mundo procurando...

— A maior parte das buscas vai ser suspensa muito em breve — disse Jed numa voz monótona. — Com esse clima, ninguém vai conseguir ver nada. Mas vou ter que levar sua esposa para a delegacia para interrogá-la. E se você ainda não arrumou um advogado, vou pedir ao tribunal que nomeie um para ela.

— Não pode fazer isso! — Ray pronunciou as palavras brusca e furiosamente, depois fez um esforço óbvio para se controlar. — O que quero dizer é que você destruiria Nancy se a levasse a uma delegacia. Durante anos ela teve pesadelos, e eles eram sempre os mesmos: que ela estava em uma delegacia, sendo interrogada e depois levada por um longo corredor até o necrotério para identificar os filhos. Meu Deus, ela ainda está em choque. Está tentando garantir que ela não consiga nos contar nada que possa ter visto?

— Ray, meu trabalho é recuperar seus filhos.

— É, mas você entende o que aquele maldito artigo fez com ela. E quanto ao cretino que escreveu aquele artigo?

Alguém com crueldade suficiente para cavar essa história e mandá-la para a mídia pode ser capaz de roubar as crianças.

— Naturalmente estamos trabalhando nisso. Essa coluna sempre é assinada por pseudônimo, mas na verdade os artigos são enviados por redatores freelancers e, se aceitos, envolvem um pagamento de 25 dólares.

— Bem, quem é o autor, então?

— Era o que estávamos tentando descobrir — respondeu Jed. Ele parecia irritado. — Uma carta dizia que o artigo foi oferecido com a condição de que, se aceito, não seria alterado em nada, que todas as fotos fossem usadas e que fosse publicado em 17 de novembro... Hoje, o editor me disse que ele achou o artigo bem redigido e fascinante. Na verdade, ele achou tão bom que pensou que o autor era um louco para submeter ao jornal dele por meros 25 dólares. Mas é claro que ele não disse isso. Ele ditou a carta aceitando as condições e anexou o cheque.

Jed colocou a mão no bolso do quadril em busca do bloco e o abriu.

— A carta de aceitação estava datada de 28 de outubro. No dia 29, a secretária do editor se lembra de receber um telefonema perguntando se fora tomada uma decisão com relação ao artigo sobre Harmon. A ligação estava ruim e a voz era tão abafada que ela mal ouviu quem falava, mas ela disse a ele... ou ela... que o cheque estava no correio, aos cuidados da posta-restante de Hyannis Port. O cheque foi feito em nome de J. R. Penrose. No dia seguinte, foi retirado dos correios.

— Homem ou mulher? — perguntou Ray rapidamente.

— Não sabemos. Como deve saber, uma cidade como Hyannis Port tem um bom número de turistas passando por lá nesta época do ano. Qualquer um que quisesse algo da posta-restante só teria que pedir. Nenhum funcionário parece se lembrar da carta, e até agora o cheque de 25 dólares não foi descontado. Podemos pegar J. R. Penrose quando isso acontecer. Não me surpreenderia se o autor fosse uma das senhoras de nossa cidade. Elas podem ser maravilhosas para cavar fofocas.

Ray olhou a lareira.

— Está frio aqui — disse ele. — Um fogo seria bom. — Seus olhos caíram nos retratos sobre a cornija que Nancy tinha pintado de Michael e Missy quando eles eram bebês. Ele engoliu o bolo que tomou sua garganta de repente.

— Não acho que você precise de fogo aqui agora, Ray — disse Jed em voz baixa. — Eu lhe pedi para vir aqui porque quero lhe dizer que Nancy precisa se vestir e vir conosco à delegacia.

— Não... não... por favor... — O chefe Coffin e Ray giraram o corpo para olhar a passagem em arco que levava à sala. Nancy estava parada ali, uma das mãos apoiada na arcada de carvalho entalhado. Seu cabelo estava seco, e ela o havia preso num coque frouxo no alto da nuca. A tensão das últimas horas tornara sua pele de um branco de giz, acentuado pelo cabelo escuro. Seu olhar parecia quase desinteressado.

Dorothy estava atrás dela.

— Ela queria entrar — disse Dorothy, como quem se desculpa.

Agora ela sentia a acusação nos olhos de Ray enquanto ele ia rapidamente até elas.

— Ray, me desculpe. Não consegui evitar que ela entrasse.

Ray puxou Nancy para si.

— Está tudo bem, Dorothy — disse brevemente. Sua voz mudou e ficou mais terna. — Querida, relaxe. Ninguém vai machucar você.

Dorothy sentiu a rejeição no tom de voz dele. Ele contava que ela manteria Nancy afastada enquanto falava com o chefe, e nem isso ela conseguira fazer. Ela era inútil ali — inútil.

— Ray — disse ela, rigidamente. — É ridículo incomodar você com isso, mas ligaram da imobiliária para me lembrar de que o Sr. Kragopoulos, que escreveu sobre a propriedade dos Hunt, quer vê-la às duas horas. Devo mandar outra pessoa para levá-lo lá?

Ray olhou por sobre a cabeça de Nancy enquanto a abraçava com firmeza.

— Não dou a mínima — rebateu ele. Depois rapidamente disse: — Desculpe, Dorothy. Gostaria que você mostrasse a casa; você conhece A Sentinela e pode vendê-la, se houver interesse. O pobre do Sr. Hunt precisa do dinheiro.

— Eu não avisei ao Sr. Parrish que podíamos levar alguém lá hoje.

— O contrato de aluguel diz claramente que temos o direito de mostrar a casa a qualquer hora, bastando dar um telefonema com meia hora de antecedência. Foi por isso que ele alugou tão barato. Telefone para ele da imobiliária e diga que você vai lá.

— Tudo bem. — Insegura, Dorothy esperou, sem querer partir. — Ray...

Ele olhou para ela, entendendo seu desejo não dito, mas dispensando-a.

— Não há nada que você possa fazer aqui, Dorothy. Volte quando tiver terminado com A Sentinela.

Ela assentiu e se virou para sair. Não queria deixá-los, queria ficar com eles, compartilhar sua angústia. Desde o primeiro dia em que entrara no escritório de Ray, ele fora uma corda salva-vidas para ela. Depois de quase 25 anos planejando cada atividade dela com Kenneth ou em torno da agenda de Kenneth, ela ficara sem chão e, pela primeira vez na vida, assustada. Mas grande parte do vazio fora preenchido trabalhando com Ray, ajudando-o a formar seu negócio, usando seu conhecimento de decoração de interiores para incitar as pessoas a comprar as casas e depois investir na reforma. Ray era uma pessoa justa e elegante. Ele lhe propusera um acordo de partilha generosa dos lucros. Dorothy tinha por ele a consideração que teria por um filho. Quando Nancy chegou, ela ficara muito orgulhosa de que Nancy confiasse nela. Mas havia uma reserva na esposa de Ray que não permitia nenhuma intimidade verdadeira, e agora ela se sentia uma espectadora desnecessária. Sem dizer nada, ela os deixou, pegou o casaco e o cachecol e foi para a porta dos fundos.

Ela se abraçou para se proteger do vento e do granizo enquanto abria a porta. Seu carro estava estacionado no meio da entrada semicircular. Ela estava feliz por não ter passado pela entrada da frente. Uma das redes de TV havia estacionado uma van na frente da casa.

Enquanto corria para o carro, ela viu o balanço na árvore à margem da propriedade. Era ali que as crianças estavam brincando e onde Nancy encontrara a luva. Quantas vezes ela mesma empurrara as crianças naquele balanço?

Michael e Missy... A possibilidade pavorosa de que algo pudesse ter acontecido com eles — que pudessem estar mortos — deu-lhe uma terrível sensação de sufocamento. *Ah, por favor, isso não... Deus todo-poderoso, por favor, isso não.* Ela uma vez brincara sobre ser a avó emprestada deles, e depois a mágoa no rosto de Nancy fora tão inconfundível que ela se arrependera do que dissera. Fora uma coisa presunçosa de se dizer.

Ela olhou para o balanço, perdida em pensamentos, sem se importar com o granizo que fustigava seu rosto. Sempre que Nancy passava na imobiliária, as crianças iam direto para a mesa dela. Ela sempre procurava ter uma surpresa para eles. Ontem mesmo, quando Nancy fora com Missy, tinha biscoitos que Dorothy assara na noite anterior como presente especial. Nancy tinha de sair para procurar tecido para cortinas, e Dorothy se oferecera para cuidar de Missy e pegar Michael no jardim-de-infância. "É difícil escolher tecido se você não puder se concentrar", dissera ela, "e tenho que pegar uns documentos de pesquisa no fórum. Será divertido ter companhia, e no caminho de volta vamos tomar um sorvete, se estiver tudo bem." Só 24 horas antes...

— Dorothy.

Sobressaltada, ela olhou para cima. Jonathan deve ter passado pelo bosque, vindo da casa dele. Seu rosto hoje estava com vincos profundos. Ela sabia que ele devia ter quase sessenta anos, e hoje parecia ter cada pedaço disso. — Acabei de saber das crianças Eldredge — disse ele. — Preciso falar com Ray. Talvez eu possa ajudar.

— É gentileza de sua parte — disse Dorothy, insegura. A preocupação na voz dele era estranhamente reconfortante. — Eles estão lá dentro.

— Alguma pista das crianças?

— Não.

— Vi o artigo no jornal.

Tarde demais, Dorothy percebeu que ele não estava lhe oferecendo solidariedade. Havia uma frieza no tom de voz de Jonathan, uma reprovação que claramente a lembrou de que ela mentira para ele quando lhe dissera ter conhecido Nancy na Virgínia. Cansada, ela abriu a porta do carro.

— Tenho um compromisso — disse ela abruptamente. Sem lhe dar tempo para responder, ela entrou e deu a partida no motor. Foi só quando sua visão se toldou que ela percebeu que as lágrimas inundavam seus olhos.

## 13

O BARULHO DOS HELICÓPTEROS o agradava. Lembrava-o a última vez, quando todo mundo, por quilômetros em volta da universidade, tinha se espalhado para procurar pelas crianças. Ele olhou pela janela da frente, que tinha vista para a baía. A água cinzenta estava coberta de gelo perto do molhe. Mais cedo, haviam alertado pelo rádio para ventos fortes e granizo ou chuva misturada com neve. Desta vez o homem do tempo acertara. O vento açoitava a baía em cristas raivosas. Ele observou enquanto um bando de gaivotas voou instável, num esforço inútil de ir contra o vento.

Consultou cuidadosamente o termômetro. Agora fazia 2 graus lá fora — uma queda de 6,5 graus desde a manhã.

Os helicópteros e os aviões de busca não iam agüentar por muito mais tempo. Não haveria mais ninguém procurando em terra também.

A maré alta seria às sete da noite. A essa hora, ele levaria as crianças pelo sótão até a sacada externa, através do sótão, que chamavam de passeio da viúva. A água na maré alta cobria a praia abaixo, quebrava furiosamente no muro de contenção e depois, tragada por um recuo violento, rolava de volta para o mar. Seria a hora de largar as crianças... para... baixo... Levaria semanas para que viessem à superfície... Mas mesmo que fossem encontradas em alguns dias, ele estava preparado para isso. Só lhes dera leite e biscoitos. Ele não era tolo para alimentá-los com qualquer coisa que sugerisse que outra pessoa, e não Nancy, lhes dera uma refeição de verdade depois do café-da-manhã. É claro que, com sorte, seria inútil tentarem fazer qualquer tipo de análise nos corpos quando fossem encontrados.

Deu uma risadinha. Nesse meio-tempo, ele teria cinco horas: cinco longas horas para olhar as luzes que estavam sendo acesas perto da casa de Nancy e no lago; cinco horas para ficar com as crianças. Veio-lhe à mente que até o menino era uma criança bonita... A pele macia e aquele corpo perfeito.

Mas era a menininha. Ela era tão parecida com Nancy... aquele cabelo sedoso e bonito e as orelhas pequenas e bem-formadas. Ele se virou da janela abruptamente. As crianças estavam deitadas juntas no sofá. O sedativo que colocara no leite pusera os dois para dormir. O braço do menino passava protetor por sobre a irmã. Mas o menino nem se mexeu quando ele pegou a garotinha. Só a levaria para dentro, a colocaria na cama e a despiria. Ela não fez nenhum ruído quando ele a levou cuidadosamente para o quarto e a deitou. Foi até o banheiro e abriu as torneiras da banheira, testando a água até que chegasse à temperatura que queria. Quando a banheira estava cheia, testou a água novamente com o cotovelo. Um pouco mais quente do que devia, mas tudo bem. Estaria fria em poucos minutos.

Respirou fundo. Estava perdendo tempo. Rapidamente, abriu a porta do armário de remédios e pegou a lata de talco que colocara furtivamente no bolso do casaco pela manhã no Wiggins' Market. Quando ia fechar a porta, percebeu o patinho de borracha enfiado atrás do creme de barbear. Tinha se esquecido disso... Por que foi usado da última vez... Mas que coisa adequada. Rindo suavemente, pegou o pato; mergulhou-o sob a água fria, sentindo a falta de elasticidade e os estalos da borracha; depois o atirou na banheira. Às vezes era uma boa idéia distrair as crianças.

Pegando a lata de talco, ele correu de volta ao quarto. Ligeiros, seus dedos desabotoaram o casaco de Missy e o tiraram. Com facilidade, tirou a blusa de gola rulê pela cabeça da menina, trazendo a camiseta com ela. Ele suspirou — um gemido prolongado — e pegou a garotinha, abraçando seu corpo flácido. Três anos. Uma linda idade. Ela se agitou e começou a abrir os olhos.

— Mamãe, mamãe... — Era um choro fraco, mas tão caro, tão precioso.

O telefone tocou.

Irritado, apertou mais a criança, e ela começou a berrar — um choro letárgico e desesperado.

Ele deixou o telefone tocar. Nunca, jamais recebia telefonemas. Por que agora? Seus olhos se estreitaram. Podia ser uma ligação da prefeitura, perguntando se ele poderia trabalhar como voluntário na busca. Era melhor atender. Podiam desconfiar se ele não atendesse. Atirou Missy de volta à cama e trancou a porta do quarto antes de pegar o telefone na sala de estar.

— Sim. — Ele fez com que a voz soasse formal e fria.

— Sr. Parrish, espero não estar incomodando o senhor. Aqui é Dorothy Prentiss, da Eldredge Realty. Lamento avisá-lo com tão pouca antecedência, mas terei de levar um possível comprador à casa daqui a trinta minutos. O senhor estará aí ou devo usar minha chave mestra para mostrar seu apartamento?

# 14

LENDON MILES ENTROU à direita na Route 6A, pegando o Paddock Path. Em toda a viagem de Boston, ele ficara ouvindo o noticiário pelo rádio, e a maior parte das notícias era sobre Nancy Eldredge e o desaparecimento de seus filhos.

De acordo com os boletins, o lago Maushop tinha sido dividido em seções, mas os mergulhadores levariam pelo menos três dias para fazer uma busca completa. O lago Maushop era cheio de valas. O chefe de polícia Coffin, de Adams Port, explicara que a certa altura era possível andar pelo lago e ainda ter água só até a cintura; pouco depois, só a um metro e meio da margem, a água ficava a 12 metros de profundidade. As valas pegavam e prendiam objetos e tornavam a busca perigosa e inconclusiva...

Os boletins anunciavam que helicópteros, pequenos aviões e equipes de busca terrestre estavam em ação, mas entrara em vigor um alerta de ventania no Cape e a busca aérea começava a ser interrompida.

Ao saber pelo noticiário que se esperava que Nancy Eldredge fosse levada à delegacia para interrogatório, Lendon acelerou inconscientemente o carro. Sentia uma urgência desesperada para chegar a Nancy. Mas logo descobriu que precisava reduzir a velocidade. O granizo tomava o pára-brisa com tanta rapidez que o degelador mal conseguia derreter a crosta de gelo.

Quando ele enfim entrou no Paddock Path, não teve dificuldade para encontrar a casa dos Eldredge. Não havia como se enganar com o centro das atividades na rua. A meio caminho, uma van de televisão estava estacionada diante de uma casa que tinha duas viaturas policiais estacionadas. Carros particulares enfileiravam-se na rua, perto da van da televisão. Muitos exibiam identificação especial da imprensa.

O acesso à entrada semicircular de carros estava bloqueado por um dos carros da polícia. Lendon parou e esperou que um policial viesse falar com ele. Quando chegou, seu tom foi ríspido.

— Declare suas intenções, por favor.

Lendon esperava a pergunta e estava preparado. Ele entregou seu cartão, em que escrevera um bilhete.

— Por favor, leve isso à Sra. Eldredge.

O policial pareceu inseguro.

— Se esperar aqui, doutor... Vou ter que verificar. — Ele retornou prontamente, a atitude sutilmente menos hostil.

— Vou tirar as viaturas do caminho. Estacione na entrada de carros e entre na casa, senhor.

Do outro lado da rua, correram repórteres que assistiam ao desenrolar dos acontecimentos. Um deles enfiou um microfone na cara de Lendon enquanto ele saía do carro.

— Dr. Miles, podemos lhe fazer algumas perguntas?

Sem esperar pela resposta, ele prosseguiu rapidamente:

— O senhor é um importante psiquiatra dos quadros da Faculdade de Medicina de Harvard. A família Eldredge mandou chamá-lo?

— Ninguém mandou me chamar — respondeu Lendon asperamente. — Sou um amigo... eu era amigo... da mãe da Sra. Eldredge. Vim aqui por amizade pessoal e é só.

Ele tentou passar, mas foi bloqueado pelo repórter que segurava o microfone.

— O senhor disse que era amigo da mãe da Sra. Eldredge. Pode nos dizer o seguinte: Nancy Harmon Eldredge era paciente sua?

— É claro que não! — Lendon literalmente se atirou para passar pelos repórteres e chegar à varanda. Um policial mantinha a porta da frente aberta.

— Por aqui — disse o homem, identificando a sala à direita.

Nancy Eldredge estava de pé junto à lareira ao lado de um jovem alto, indubitavelmente o marido. Lendon a teria reconhecido em qualquer lugar. O nariz bem cinzelado, os grandes olhos azuis que olhavam firmes de sob sobrancelhas grossas, o bico-de-viúva no alto da testa, o perfil que era tão parecido com o de Priscilla...

Ignorando o olhar abertamente hostil do policial e o minucioso exame do homem de traços marcados junto à janela, ele foi diretamente a Nancy.

— Eu devia ter vindo antes — disse ele.

Os olhos da mulher estavam meio vidrados, mas ela sabia o que ele queria dizer.

— Pensei que viria da última vez — disse-lhe ela —, quando a mamãe morreu. Eu tinha certeza de que ia aparecer. E você não veio.

Como especialista, Lendon avaliou os sintomas de choque que podia ver: as pupilas dilatadas; a rigidez do corpo; o tom monótono em sua voz. Ele se virou para Ray:

— Quero ajudar, da forma que for possível — disse.

Ray o analisou intensamente e, por instinto, gostou do que viu.

— Então, como médico, veja se consegue convencer o chefe de polícia aqui de que seria desastroso levar Nancy para a delegacia — disse ele sem alterar a voz.

Nancy encarou o rosto de Lendon. Ela se sentia tão distante — como se cada minuto estivesse escoando para bem longe. Mas havia alguma coisa nesse Dr. Miles. A mãe gostava muito dele; as cartas da mãe pareciam tão felizes; o nome dele estivera nelas com uma freqüência cada vez maior.

Quando sua mãe viera visitá-la na universidade, ela perguntara pelo médico; qual era a importância dele? Mas Carl estava com elas, e a mãe parecera não querer falar dele naquele momento. Ela só sorrira e dissera: "Ah, terrivelmente importante, mas eu lhe conto mais tarde, querida."

Ela podia se lembrar disso com a maior clareza. Sentira vontade de conhecer o Dr. Miles. De certa forma, tinha certeza de que ele ligaria para ela quando soubesse do acidente da mãe. Ela precisava conversar com alguém que também amava a mãe dela...

— Você amava a minha mãe, não é? — Era a voz dela fazendo esta pergunta. Ela nem sabia que pretendia fazer a pergunta.

— Sim, amava. Muito. Não sei o que ela lhe disse a meu respeito. Achei que você poderia estar ressentida comigo. Eu devia ter tentado ajudá-la.

— Ajude-me agora!

Ele pegou as mãos dela, aquelas mãos terrivelmente frias.

— Vou tentar, Nancy, prometo. — Ela se curvou, e o marido a envolveu num abraço.

Lendon gostou do jeito de Ray Eldredge. O rosto do homem mais jovem estava cinzento de angústia, mas ele se continha bem. Sua atitude com relação à esposa era protetora. Ele obviamente controlava firmemente suas emoções. Lendon percebeu a pequena foto emoldurada na mesa ao lado do sofá. Era um instantâneo ao ar livre de Ray abraçando um garotinho e uma garotinha... As crianças desaparecidas, é claro. Que linda família. Era interessante que em lugar nenhum desta sala ele visse uma foto que fosse de Nancy. Ele se perguntou se um dia ela permitiu ser fotografada.

— Nancy, querida, venha, você precisa descansar. — Ray gentilmente levou-a para o sofá e ergueu os pés dela. — Assim está melhor. — Ela se recostou, obediente. Lendon observou que os olhos dela focalizaram a foto de Ray com os filhos e depois se fecharam de dor. Um tremor percorreu todo o seu corpo.

— Acho que é melhor avivar a lareira — disse ele a Ray. Ele escolheu uma acha de tamanho médio na cesta ao lado da lareira e a atirou no calor das brasas. Uma chuva de faíscas se espalhou para cima.

Ray colocou uma manta em volta de Nancy.

— Você está tão fria, querida — disse ele. Por um momento, ele segurou o rosto dela entre as mãos. Lágrimas escorreram de seus olhos fechados e molharam os dedos dele.

— Ray, tenho sua permissão para representar Nancy como advogado? — A voz de Jonathan se alterara sutilmente. Estava infundida de firmeza. Calmamente, ele correspondeu aos olhares atordoados. — Eu lhe garanto que sou bem qualificado — disse secamente.

— Advogado — sussurrou Nancy. De algum lugar, ela podia ver o rosto sem cor e assustado do advogado da última vez. Domes, era esse o nome dele... Joseph Domes. Ele ficava dizendo a ela: "Mas você deve me contar a verdade. Deve confiar em mim, para que eu a ajude." Nem ele acreditara nela.

Mas Jonathan Knowles era diferente. Nancy gostava de seu jeito grandalhão e da cortesia com que ele sempre falava com ela, e ele foi tão atencioso com as crianças quando parou para conversar... no Lowerys' Market — foi isso. Algumas semanas antes, ele ajudara a ela e a Mike a empilhar as latas que Mike havia derrubado. Ele gostava dela, Nancy tinha certeza disso. Por instinto, ela sabia. Ela abriu os olhos.

— Por favor — disse ela, olhando para Ray.

Ray assentiu.

— Ficamos muito gratos, Jonathan.

Jonathan se virou para Lendon.

— Doutor, posso ter sua opinião médica sobre a propriedade de permitir que a Sra. Eldredge seja levada para interrogatório na delegacia?

— É altamente desaconselhável — disse Lendon prontamente. — Eu insistiria para que qualquer interrogatório fosse feito aqui.

— Mas não consigo me lembrar. — A voz de Nancy era cansada, como se tivesse dito estas mesmas palavras vezes sem conta. — Você disse que sei onde estão meus filhos. Mas não me lembro de nada depois de ter visto aquele jornal na cozinha esta manhã, até que ouvi Ray me chamar. — Ela olhou para Lendon, os olhos toldados e fixos. — Pode me ajudar a lembrar? Há alguma maneira?

— O que quer dizer? — perguntou Lendon.

— Quero saber se não há uma maneira de você me dar alguma coisa para que, se eu souber... ou se vi... ou fiz... Mesmo que tenha feito alguma coisa... preciso saber... Não é nada que precise esconder. Se existe uma parte horrível de mim que pode machucar meus filhos... temos que saber disso também. E se não houver, mas se eu de alguma maneira souber onde eles podem estar, então estamos perdendo tempo.

— Nancy, eu não ia deixar... — Ray parou quando viu a angústia no rosto dela.

— É possível ajudar Nancy a se lembrar do que aconteceu esta manhã, doutor? — perguntou Jonathan.

— Talvez. Ela deve estar sofrendo de uma forma de amnésia que não é incomum após uma experiência catastrófica para ela. Em termos clínicos, é uma amnésia histérica. Com uma injeção de amital sódico, ela relaxaria e poderia nos dizer o que aconteceu... A verdade, o que ela sabe.

— Respostas dadas sob sedação não seriam admitidas no tribunal — disse bruscamente Jed. — Não posso permitir que interrogue a Sra. Eldredge desse jeito.

— Antigamente eu tinha boa memória — murmurou Nancy. — Antigamente, na faculdade, tínhamos um concurso para saber quem podia se lembrar do que havia feito durante cada dia. Só era preciso voltar dia após dia até não conseguir se lembrar mais. Eu vencia por uma margem tão ampla que era motivo de piada no alojamento. Tudo era tão claro...

O telefone tocou e teve o efeito de uma pistola sendo disparada na sala. Nancy se encolheu no encosto do sofá e Ray cobriu as mãos dela com as suas. Todos esperaram em silêncio até que o policial encarregado do telefone entrasse na sala. Ele disse:

— Interurbano para o senhor, chefe.

— Posso lhe garantir que este é o telefonema que eu estava esperando — disse Jed a Nancy e Ray. — Sr. Knowles, eu agradeceria se viesse comigo. Você também, Ray.

— Eu volto já, querida — murmurou Ray para Nancy. Depois ele olhou para Lendon. Satisfeito com o que viu, seguiu os outros homens, saindo da sala.

Lendon viu como o alívio escoava da expressão de Nancy.

— Toda vez que toca, acho que alguém encontrou as crianças e que elas estão seguras — murmurou ela. — E depois acho que vai ser como da última vez... quando veio o telefonema.

— Calma — disse Lendon. — Nancy, é importante. Me diga quando começou a ter problemas para se lembrar de eventos específicos.

— Quando Peter e Lisa morreram... mas talvez bem antes disso. É tão difícil lembrar dos anos que passei casada com Carl.

— Talvez porque você associe este período com as crianças e seja doloroso demais lembrar de qualquer coisa relacionada com isso.

— Mas naqueles cinco anos... eu ficava tão terrivelmente cansada... depois da morte da mamãe... sempre tão cansada. Coitado do Carl... tão paciente. Ele fez tudo por mim. Acordava com as crianças à noite... mesmo quando elas eram bebês. Tudo era um esforço tão grande para mim... Depois que as crianças desapareceram, eu não conseguia me lembrar... como agora... simplesmente não conseguia. — A voz dela começou a se elevar.

Ray voltou à sala. Alguma coisa tinha acontecido. Lendon podia ver isso nas rugas de tensão em volta da boca de Ray, o leve tremor de suas mãos. Ele se viu rezando: *Por favor, que não sejam más notícias.*

— Doutor, o senhor pode falar com Jonathan por um minuto, por favor? — Ray estava fazendo um esforço resoluto para manter a voz tranqüila.

— Certamente. — Lendon correu para a soleira em arco que levava à sala de jantar, certo de que o telefonema tinha abalado Ray.

Quando chegou à sala de jantar, o chefe Coffin ainda estava ao telefone. Ladrava ordens ao tenente de serviço na delegacia.

— Revire a droga dos correios, convoque cada funcionário que estava trabalhando em 13 de outubro e não pare de interrogá-los até que alguém se lembre de quem pegou aquela carta da *Community News* endereçada a J. R. Penrose. Preciso de uma descrição completa, e preciso disso agora.

— Ele bateu o fone no gancho.

Havia uma nova tensão também em Jonathan. Sem preâmbulos, ele disse:

— Doutor, não podemos perder tempo tentando vencer a amnésia de Nancy. Saiba que tenho um arquivo completo do caso Harmon por causa de um livro que estou escrevendo. Passei as últimas três horas analisando esse arquivo e lendo o artigo publicado no jornal de hoje. Alguma coisa me pegou, algo que parecia da maior importância, e pedi ao chefe Coffin para telefonar ao promotor público em San Francisco e verificar minha teoria. O assistente dele acabou de retornar a ligação.

Jonathan procurou pelo cachimbo no bolso, trincou os dentes nele sem acender e continuou:

— Doutor, como deve saber, em casos de crianças desaparecidas em que há suspeita de crime, a polícia em geral segura propositalmente parte das informações para que possam ter alguma ajuda na classificação das inevitáveis pistas sem importância que recebem depois de um desaparecimento muito divulgado.

Ele começou a falar mais rapidamente, como se sentisse que perdia muito tempo.

— Percebi que todos os relatos de jornais de sete anos atrás descreviam as crianças desaparecidas vestidas com suéteres de cardigã vermelhos com um desenho branco quando desapareceram. Em lugar nenhum da extensa cobertura da imprensa há uma descrição exata de que desenho era esse.

Eu supus... corretamente... que o desenho tinha sido ocultado de propósito.

Jonathan olhou para Lendon fixamente, esperando que entendesse de imediato a importância do que ele estava prestes a dizer.

— O artigo que apareceu no *Cap Cod Community News* afirma claramente que, quando as crianças Harmon desapareceram, estavam usando suéteres vermelhos com um desenho de um veleiro branco incomum, e que elas ainda o estavam vestindo quando seus corpos apareceram na margem semanas depois. Ora, é claro que Nancy estava ciente desse desenho de veleiro. Ela mesma fez aqueles suéteres. Mas só outra pessoa fora da equipe de investigação de San Francisco sabia deste desenho. — A voz de Jonathan aumentou um tom. — Se supusermos a inocência de Nancy, foi essa pessoa quem raptou as crianças Harmon sete anos atrás... e que há um mês escreveu o artigo que apareceu no jornal de hoje!

— Quer dizer então... — começou Lendon.

— Doutor, o que quero dizer, como advogado e amigo de Nancy, é que se o senhor conseguir vencer a amnésia, faça isso... e rápido! Convenci Ray de que vale a pena acenar com qualquer imunidade. A necessidade premente é descobrir o que Nancy pode saber; caso contrário, certamente será tarde demais para ajudar os filhos dela.

— Posso telefonar para uma drogaria e fazer um pedido? — perguntou Lendon.

— Pode, doutor — ordenou Jed. — Vou mandar uma viatura para pegar o que o senhor precisar. Olhe... vou ligar para a drogaria para o senhor.

Em voz baixa, Lendon passou as instruções por telefone e, quando terminou, foi até a cozinha beber um copo de água. *Ah, o desperdício*, pensou ele — *o medonho desperdício*. A tragédia que tinha começado com o acidente de Priscilla... causa e efeito... causa e efeito. Se Priscilla não tivesse morrido, provavelmente ela teria convencido Nancy a não se casar tão jovem. As crianças Harmon sequer teriam nascido. Rispidamente, ele se arrancou da especulação inútil. Era óbvio que a cozinha fora vasculhada em busca de digitais. Grãos de talco ainda eram evidentes nas bancadas, em volta da pia e no fogão. Ninguém tinha limpado a mancha formada pelo derramamento do café.

Ele voltou à sala de jantar e ouviu o chefe Coffin.

— Lembre-se, Jonathan, posso muito bem estar abusando de minha autoridade desse jeito. Mas vou colocar um gravador naquela sala quando a garota for interrogada. Se ela confessar qualquer coisa sob sedação, não vamos poder usar isso diretamente, mas vou saber o que perguntar a ela num interrogatório normal depois.

— Ela não vai confessar nada — disse Jonathan com impaciência. — O que me preocupa é que, se aceitarmos sua inocência como um fato... e não só sobre o desaparecimento de Michael e Missy, mas também sua inocência no assassinato das crianças Harmon... então nossa suposição passa a ser esta: se o assassino das crianças Harmon escreveu este artigo para o *Community News* e usou uma agência dos correios de Hyannis, ele esteve aqui no Cape em algum momento.

— E o senhor está dizendo que ele raptou as crianças Eldredge esta manhã — concluiu o chefe Coffin.

Jonathan acendeu novamente o cachimbo e tragou vigorosamente antes de responder.

— Acredito que sim — disse ele. Seu tom de voz, propositalmente sem expressão, levou Lendon a entender o que ele queria dizer. Jonathan acreditava que, se o assassino das crianças Harmon tinha levado Michael e Missy Eldredge, eles podiam estar mortos.

— Por outro lado — teorizou Jed —, se eliminarmos a Sra. Eldredge como suspeita, é igualmente possível que alguém que nem apareceu no julgamento Harmon soubesse de alguma coisa sobre esses assassinatos, escrevesse aquele artigo e agora tenha raptado as crianças Eldredge. Uma terceira possibilidade é de que os dois casos não tenham relação, a não ser que alguém, lendo este artigo e reconhecendo Nancy Eldredge, tenha se envolvido no desaparecimento desta manhã. As crianças podem ter sido levadas por uma mãe frustrada que acha que Nancy não as merece. Já vi muitas racionalizações piores do que essa na vida.

— Jed — rebateu Jonathan —, o que estou tentando dizer é que, independente de quem possa estar envolvido, um fato é muito claro: não acredito que haja alguma dúvida de que Nancy saiba mais do que disse sobre o desaparecimento de seus filhos sete anos atrás.

Lendon ergueu uma sobrancelha. Jed franziu a testa. Ao ver a expressão dos dois homens, Jonathan bateu a mão na mesa com impaciência.

— Não estou dizendo que essa garota é culpada. Estou dizendo que ela sabe mais do que disse; provavelmente sabia mais do que tinha consciência de saber. Veja as fotos dela no banco das testemunhas. Seu rosto é um vazio completo. Leia os testemunhos. Pelo amor de Deus, homem, leia os testemunhos do julgamento. A garota estava fora de si. Seu advogado pode ter conseguido sua absolvição com base em um aspecto técnico, mas isso não quer dizer que ele não tenha deixado que o promotor a crucificasse. Toda a armação fede, e você está tentando reencenar tudo aqui.

— Estou tentando escapar de suas teorias... e é só o que elas são... e fazer meu trabalho, que é recuperar as crianças... vivas ou mortas... e descobrir quem as raptou. — Jed estava claramente perdendo a paciência. — Num momento você me diz que ela está doente demais para ser interrogada e no outro diz que ela sabe mais do que deixa transparecer. Olhe, Jonathan, você mesmo disse que escrever um livro sobre vereditos questionáveis é um passatempo para você. Mas aquelas vidas não são um passatempo para mim, e não estou aqui para ajudar você a jogar xadrez com a lei.

— Espere um minuto. — Lendon pôs a mão no braço do chefe. — Sr. Knowles... Jonathan... acredita que qualquer coisa que Nancy saiba da morte de sua primeira família pode nos ajudar a descobrir as crianças Eldredge?

— Exatamente. Mas o problema é arrancar esse conhecimento, e não afundá-lo ainda mais no subconsciente. Dr. Miles, o senhor é considerado um especialista no uso de amital sódico na psiquiatria, não é?

— Sim, sou.

— É possível que consiga fazer com que Nancy revele não só o que ela sabe dos acontecimentos desta manhã... que eu suspeito de que não seja nada... mas também informações sobre o passado que ela nem sabe que tem?

— É possível.

— Então, a não ser que ela possa nos dizer alguma coisa tangível sobre o paradeiro de Michel e Missy, acho que o senhor deve tentar.

Quando Dorothy voltou à casa uma hora depois, a sala de estar da família e a cozinha estavam desertas, a não ser por Bernie Mills, o policial encarregado de atender o telefone.

— Estão todos lá — disse ele, apontando a cabeça para a sala de visitas. — Está acontecendo alguma coisa muito esquisita.

Dorothy se apressou pelo corredor, mas parou na soleira da porta. A saudação que estava prestes a fazer morreu em seus lábios quando viu a cena diante de si.

Nancy estava deitada no sofá, uma almofada debaixo da cabeça, uma manta enrolando-a. Um estranho que parecia médico estava sentado ao lado dela, falando com delicadeza. Os olhos de Nancy estavam fechados. Um Ray que parecia angustiado e Jonathan, com a expressão sombria, estavam lado a lado no sofá de dois lugares. Jed Coffin sentava-se a uma mesa atrás do sofá, segurando um microfone apontado para Nancy.

Enquanto percebia o que estava acontecendo, Dorothy afundou em uma cadeira, sem se incomodar em tirar o casaco. Entorpecida, ela enfiou os dedos gelados bem fundo nos bolsos, sem ter consciência de estar agarrando o pedaço de lã felpuda e molhada que sentia no bolso direito.

— Como se sente, Nancy? Está confortável? — A voz de Lendon era tranqüila.

— Tenho medo...

— Por quê?

— As crianças... as crianças...

— Nancy. Vamos falar desta manhã. Você dormiu bem na noite passada? Quando acordou, sentiu-se descansada?

A voz de Nancy era pensativa.

— Eu sonhei. Sonhei muito...

— Com o que sonhou?

— Peter e Lisa... Eles estavam tão crescidos... Eles morreram há sete anos... — Ela começou a chorar. Depois, enquanto a mão de ferro de Jonathan apertava o braço de Ray, ela gritou: — Como posso ter matado as crianças? Eles eram meus filhos! Como eu poderia ter matado meus filhos?

## 15

ANTES DE ENCONTRAR JOHN Kragopoulos na imobiliária, ela tentara camuflar com maquiagem o entorno avermelhado dos olhos. Tentara convencer a si mesma de que, afinal, mostrar a casa dos Hunt teria sido uma saída, um ato em que podia se concentrar por algum tempo e afastar sua mente da busca interminável e minuciosa por pistas do paradeiro das crianças. Que pistas?

Normalmente ela levava os possíveis clientes em um giro curto pela região antes de mostrar uma propriedade, para que vissem as praias, os lagos e a marina; as casas antigas e imponentes que se espalhavam entre a Cranberry Highway e a baía; a vista de tirar o fôlego da Torre Maushop; os pontos turísticos da cidade.

Mas hoje, com o granizo tamborilando no teto e nas janelas do carro, com o céu carregado de nuvens escuras e com o ar frio do mar gelando a medula dos ossos, ela foi direto para A Sentinela.

Era tão difícil se concentrar no que estava fazendo. Ela se sentia tão distraída e abalada. Ela, que não chorava havia anos, teve que morder os lábios para impedir que as lágrimas saíssem. Havia um peso esmagador em seus ombros, um peso de tristeza e medo que não tinha esperança de suportar sozinha.

Enquanto dirigia pela estrada traiçoeiramente escorregadia, ela deu uma olhada ocasional no homem de pele morena ao seu lado. John Kragopoulos estava em algum ponto em meados dos 40 anos. Tinha a compleição de um halterofilista, ainda que houvesse uma cortesia inata em seu porte que complementava seu leve sotaque ao falar.

Kragopoulos disse a Dorothy que ele e a esposa haviam acabado de vender o restaurante em Nova York e concordaram que o empreendimento seguinte seria em uma região onde quisessem ficar permanentemente. Estavam ansiosos para encontrar um lugar onde aposentados prósperos freqüentassem no inverno, bem como turistas no verão.

Revendo mentalmente estes argumentos, Dorothy disse:

— Eu nunca recomendaria que investissem em um restaurante do outro lado do Cape. Agora, aquilo ali não passa de uma massa de hotéis e pizzarias... um zoneamento absolutamente assustador... mas este lado do Cape ainda é adorável. A Sentinela tem possibilidades ilimitadas como restaurante e pousada. Na década de 1930, foi amplamente reformada e transformada em clube campestre. Naquela época, as pessoas não tinham dinheiro para se associar a clubes de campo caros, e então o clube não pegou. Por fim, o Sr. Hunt comprou a casa e o terreno... Três hectares e meio no total, incluindo trezentos metros de propriedade à beira da água e uma das vistas mais lindas do Cape.

— A Sentinela originalmente era a casa de um capitão, não era?

Dorothy percebeu que John Kragopoulos tinha feito o dever de casa sobre o lugar — um sinal certo de verdadeiro interesse.

— Sim, era — concordou ela. — Foi construída por um capitão de baleeira na década de 1690 como presente para a noiva. A reforma mais recente, quarenta anos atrás, acrescentou mais dois andares, mas o telhado original foi recuado, inclusive uma daquelas lindas sacadas ao lado do topo da chaminé... o passeio da viúva, como chamavam, porque tantas esposas de capitão costumavam vigiar em vão a volta de seus homens de uma viagem.

— O mar pode ser traiçoeiro — concordou seu passageiro. — A propósito, existe um píer na propriedade? Pretendo comprar um barco, se me instalar aqui.

— Um píer muito bom — garantiu-lhe Dorothy. — Ah, meu Deus! — Ela arfou quando o carro derrapou perigosamente ao virar em uma estrada estreita e ventosa que levava à Sentinela. Ela conseguiu corrigir as rodas e olhou ansiosa para seu carona. Mas ele parecia imperturbável e assinalou com brandura que ela era muito corajosa para se arriscar a dirigir em estradas tão cheias de gelo.

Como um bisturi, as palavras penetraram no âmago da infelicidade de Dorothy. O dia estava pavoroso. Seria um milagre se o carro não derrapasse para fora da estrada estreita. Todo o interesse de que se convencera que tinha sobre mostrar a casa desapareceu. Se o clima estivesse pelo menos tolerável, as praias, as ruas e os bosques estariam cheios de homens e rapazes procurando por Missy e Michael; mas com este tempo, só os mais corajosos pensariam em sair — em especial porque muitos achavam que era uma busca inútil.

— Não me importo de dirigir — disse ela numa voz densa. — Só lamento que o Sr. Eldredge não esteja comigo. Mas tenho certeza de que o senhor entende.

— Entendo muito bem — disse John Kragopoulos. — Que experiência terrível para os pais é o desaparecimento dos filhos! Só lamento tomar o seu tempo hoje. Como amiga e colega de trabalho, a senhora deve estar preocupada.

Decidida, Dorothy não se permitiu reagir à solidariedade da voz do homem e suas maneiras.

— Deixe-me falar mais sobre a casa — disse ela. — Todas as janelas da frente dão para a água. A porta da frente tem uma clarabóia primorosa, uma característica das casas mais elegantes daquele período. Os grandes cômodos no primeiro andar têm lareiras de empena maravilhosas. Em um dia como este, muita gente gostaria de ir a um restaurante onde pudesse ver a tempestade enquanto desfruta uma boa bebida, uma boa comida e uma lareira quente. Chegamos.

Eles fizeram a curva, e A Sentinela ficou à plena vista. Para Dorothy, parecia estranhamente deserta e assustadora ao assomar contra o aterro que a envolvia. As telhas castigadas pelo tempo eram de um cinza severo. O granizo que batia nas janelas e nas varandas parecia revelar impiedosamente os sarrafos descascados e frouxos nos degraus externos.

Ela ficou surpresa ao ver que o Sr. Parrish tinha deixado o portão da garagem aberto. Talvez ele estivesse carregando mantimentos de sua última viagem e tivesse se esquecido de sair novamente para baixar o portão. Mas foi um alívio para eles. Ela seguiu direto para a garagem espaçosa e estacionou ao lado da velha perua dele, e conseguiram correr para a casa com alguma proteção do telhado da garagem.

— Estou com a chave da porta dos fundos — disse ela a John Kragopoulos depois que eles saíram do carro. — Desculpe por não ter pensado em trazer o guarda-chuva de Ray. Espero que o senhor não se molhe muito.

— Não se preocupe comigo — disse ele. — Sou muito bem preparado. Não pareço?

Ela deu um sorriso fraco e assentiu.

— Muito bem, vamos correr um pouco. — Eles correram da garagem e se mantiveram perto da parede enquanto atravessavam os cinco metros até a porta da cozinha. Mesmo assim, o granizo golpeou seus rostos e o vento empurrava os casacos.

Para sua irritação, Dorothy descobriu que as duas fechaduras da porta estavam trancadas. O Sr. Parrish podia ter tido mais consideração, pensou ela, furiosa. Ela vasculhou a bolsa, procurando pela chave da fechadura de cima, e a encontrou. Tocou rapidamente a campainha para que o Sr. Parrish soubesse que tinham chegado. Dorothy podia ouvir o eco da campainha no segundo andar enquanto abria a porta.

Seu comprador em potencial parecia não se deixar perturbar enquanto espanava o granizo do casaco e secava o rosto com um lenço. Era uma pessoa simples, concluiu Dorothy. Ela precisava se esforçar para não parecer nervosa nem abertamente tagarela ao falar do lugar. Cada fibra de seu ser a fazia querer apressar este homem pela casa. *Olhe isto... e isto... e isto... Agora deixe que eu volte para Ray e Nancy, por favor; talvez haja alguma novidade sobre as crianças.*

Ela percebeu que ele analisava cuidadosamente a cozinha. Deliberadamente, ela pegou o próprio lenço para enxugar o rosto, ciente de que estava usando o novo casaco de inverno de camurça. Esta manhã decidira vestir o casaco por causa deste compromisso. Sabia como ficaria e que o tom de cinza complementava seu cabelo grisalho. Foram os bolsos grandes e fundos que a deixaram consciente de que ela não estava usando seu casaco de chuva — mas o casaco de chuva certamente teria sido uma escolha melhor hoje.

E havia mais alguma coisa. Ah, sim. Quando vestiu o casaco, perguntou-se se Jonathan Knowles pararia na imobiliária esta tarde e se ele perceberia. Talvez este fosse o dia em que ele a convidaria para jantar. Ela devaneara sobre isso apenas algumas horas atrás. Como tudo podia mudar com tanta rapidez, tão terrivelmente...?

— Sra. Prentiss?

— Sim. Oh, desculpe. Acho que estou meio distraída hoje. — Aos próprios ouvidos, ela parecia falsamente animada. — Como pode ver, esta cozinha precisa ser modernizada, mas é muito bem planejada e espaçosa. Este fogão a lenha é grande o bastante para cozinhar para uma multidão... mas tenho certeza de que o senhor prefere fogões modernos.

Sem ter consciência disso, ela levantou a voz. O vento uivava em volta da casa com um som áspero e pesaroso. De algum lugar lá em cima, ouviu uma porta bater e, só por um segundo, um gemido. Eram seus nervos; esta casa hoje a estava perturbando. A cozinha também estava enregelante.

Rapidamente, ela o levou para os cômodos da frente. Estava ansiosa para que o Sr. Kragopoulos tivesse uma boa primeira impressão da vista para a água.

A ferocidade do dia só aprimorou o panorama emocionante que encontrou os olhos dos dois quando se postaram junto às janelas. As cristas raivosas agitavam-se, erguiamse, caíam, explodiam nas rochas, recuavam. Juntos, olharam o bater tumultuoso da água nas pedras da base do penhasco.

— Na maré cheia, estas rochas ficam totalmente cobertas — disse ela. — Mas um pouco mais à esquerda, passando o molhe, há uma praia linda e grande que faz parte da propriedade, e o píer fica um pouco mais além.

Ela o levou de um cômodo a outro, apontando o piso magnífico em tábua corrida de carvalho, as enormes lareiras, as vidraças, o modo como o plano geral servia a um restaurante elegante. Eles foram ao segundo andar, e ele examinou os quartos grandes que podiam ser alugados para clientes que desejassem passar a noite.

— Durante a reforma, transformaram os pequenos quartos em banheiros e os conectaram com os quartos grandes — explicou Dorothy. — Em conseqüência, há suítes realmente lindas que só precisam de uma pintura e de papel de parede. Só as camas de bronze valem uma fortuna. Na verdade, a maior parte da mobília é muito boa... Veja aquela cômoda, por exemplo. Tive uma loja de decoração de interiores, e uma casa assim é o meu sonho de trabalho. As possibilidades são infinitas.

Ele ficou interessado, e ela percebeu isso pelo modo como ele se demorava para abrir portas fechadas, batia em paredes e abria torneiras.

— O terceiro andar tem mais quartos, e depois há o apartamento do Sr. Parrish no quarto andar — disse ela. — Este apartamento foi projetado para o gerente do clube campestre. É bem espaçoso e tem uma vista maravilhosa da cidade, bem como da água.

Ele estava andando pelo quarto e não respondeu. Sentindo-se impertinente e loquaz, Dorothy foi até a janela. Ela lhe deu uma chance de considerar a casa em silêncio e elaborar qualquer pergunta que lhe pudesse ocorrer. *Rápido, rápido*, pensou ela. Ela queria sair dali. A necessidade insistente de voltar a Ray e Nancy, saber o que estava acontecendo, a dominava. E se as crianças estivessem lá fora, em algum lugar, expostas a este clima? Talvez ela devesse pegar o carro e andar pela cidade; talvez estivessem perdidos. Talvez, se ela procurasse no bosque, se os chamasse... Ela sacudiu a cabeça. Ela estava sendo tão tola.

Quando Nancy deixara Missy na imobiliária com ela na véspera, dissera: "Por favor, faça com que ela use as luvas quando sair. As mãos dela ficam muito frias." Nancy rira ao entregar as luvas a Dorothy, dizendo: "Como pode ver, elas estão descascadas... e não estou tentando lançar moda. Esta menina está sempre perdendo as luvas." Ela lhe dera uma luva vermelha com uma carinha sorridente e uma xadrez de azul e verde.

Dorothy se lembrava do sorriso alegre com o qual Missy estendera as mãos quando elas saíram para passear. "A ma-

mãe disse para não esquecer minhas luvas, tia Dorothy",
alertara ela com reprovação. Mais tarde, quando pegaram
Mike e pararam para tomar um sorvete, ela perguntara: "Tudo
bem se eu tirar as uvas quando tomar meu sorvete?" Bendita
garotinha. Dorothy enxugou as lágrimas que escorriam de
seus olhos.

Decidida, ela se recompôs e se virou para John Kragopoulos, que tinha acabado de tomar notas sobre o tamanho
do quarto.

— Não se vê um pé-direito alto como este em lugar
nenhum, a não ser nestas maravilhosas casas antigas —
exultou ele.

Ela não ia suportar ficar aqui por muito mais tempo.

— Vamos subir agora — disse abruptamente. — Acho
que gostará da vista do apartamento. — Ela o levou de volta
ao corredor e até a escada da frente. — Ah, percebeu que há
quatro áreas de aquecimento nesta casa? Poupa muito nas
contas de combustível.

Eles subiram os dois lances de escada rapidamente.

— O terceiro andar é exatamente igual ao segundo —
explicou ela enquanto passavam por ele. — Acho que o Sr.
Parrish vem alugando o apartamento por temporada há seis
ou sete anos. Seu aluguel é mínimo, mas o Sr. Eldredge achou
que a presença de um inquilino desestimularia os vândalos.
Chegamos... No final do corredor. — Ela bateu na porta do
apartamento. Não houve resposta. — Sr. Parrish — chamou
ela. — Sr. Parrish.

Ela começou a abrir a bolsa.

— Que estranho. Nem imagino onde ele foi sem o carro. Mas tenho uma chave aqui em algum lugar. — Ela co-

meçou a vasculhar a bolsa, sentindo-se irracionalmente aborrecida. Ao telefone, o Sr. Parrish obviamente ficara insatisfeito que ela estivesse levando alguém. Se ele ia sair, podia ter dito a ela. Ela esperava que o apartamento estivesse arrumado. Não havia muita gente procurando por um investimento de 350 mil dólares. Ninguém se interessara pela propriedade por quase um ano.

Dorothy não percebeu que a maçaneta estava sendo girada por dentro. Mas quando a porta se abriu abruptamente, ela voltou a cabeça para cima e arfou, enquanto fitava os olhos investigativos e o rosto suado do inquilino do quarto andar, Courtney Parrish.

— Que dia pavoroso para vocês virem aqui. — O tom de voz de Parrish era cortês enquanto ele dava um passo para o lado para deixá-los entrar. Segurando a porta às costas e saindo do caminho, raciocinou ele, talvez evitasse o tremor das mãos. Ele podia sentir as mãos encharcadas de suor.

Seus olhos dardejaram de um para outro. Teriam eles ouvido a menininha — aquele choro? Ele era tão tolo... ficando ansioso demais. Depois do telefonema, ele se apressara tanto. Pegando as roupas das crianças, em sua excitação, ele quase se esquecera da camiseta da menina. Depois a lata de talco tinha derramado. Ele tivera de limpar.

Ele amarrara as mãos e os pés das crianças, cobrira sua boca com fita adesiva e as escondera naquele quarto secreto atrás da escada da lareira que ele descobrira meses antes ao vagar pela casa. Ele sabia que aqueles quartos ocultos eram peculiares a muitas casas antigas do Cape. Os primeiros colonos os usavam para se esconder durante ataques de índios. Mas então ele entrara em pânico. E se a idiota da corretora soubesse daquele quarto e decidisse mostrá-lo? Era acessível por uma mola na estante embutida, embaixo da escada do quarto principal.

Imagine que ela soubesse dele; só imagine. Mesmo enquanto o Buick de Dorothy estava encostando e entrando na garagem, ele disparara de seu ponto de observação na janela e descera correndo para ver as crianças. Ele as carregara e as atirara em um dos closets fundos do quarto. Melhor... muito melhor. Ele podia dizer que usava aquele closet como depósito e não conseguia encontrar a chave. Como havia instalado uma nova fechadura, a idiota da corretora não podia ter uma cópia. Além disso, o closet do outro quarto era praticamente do mesmo tamanho. Ela podia mostrar aquele. Era aí que ele podia cometer um erro... Por complicar as coisas.

Eles se demoraram embaixo por tempo suficiente para ele fazer uma última inspeção no apartamento; não esquecera nada, tinha certeza. A banheira ainda estava cheia, mas decidira deixar assim. Ele sabia que tinha demonstrado irritação ao telefone. Deixe que Dorothy pense que o motivo era esse; ele ia tomar banho. Isso justificaria a irritação.

Ele queria tanto voltar à menininha que era doloroso. Do fundo de sua lombar, ele sentia um desejo frenético. Neste exato momento, ali estava ela, só a alguns metros de todos eles, atrás daquela porta, seu corpinho seminu. Ah, ele mal podia esperar! Cuidado. Muito cuidado. Ele tentou prestar atenção na voz da razão que o ficava alertando, mas era tão difícil...

— John Kragopoulos. — O maldito camarada estava insistindo em trocar um aperto de mãos com ele. Desajeitado, tentou secar a palma da mão na perna da calça antes de pegar a mão estendida que não podia ignorar.

— Courtney Parrish — disse ele, rabugento.

Ele pôde ver a rápida expressão de desprazer surgindo na cara do outro homem quando suas mãos se tocaram. Provavelmente uma droga de bicha. Metade dos restaurantes deste lado do Cape eram administrados por bichas. Agora eles também queriam esta casa. Tudo bem. Amanhã ele não ia precisar mais dela.

De repente percebeu que, se esta casa fosse vendida, ninguém acharia suspeito se um Courtney Parrish não voltasse ao Cape. E depois ele podia perder peso, deixar o cabelo crescer e mudar totalmente a aparência de novo, porque ele ia querer vir para o julgamento de Nancy, depois que encontrassem os corpos das crianças e a acusassem. Isto não era absolutamente um problema. O destino o estava favorecendo. Era assim que devia ser.

Ele estremeceu quando uma onda de alegria atravessou seu corpo. O motivo, ele até podia perguntar a Nancy. Seria apenas amável.

— É um prazer conhecê-lo, Sr. Kragopoulos, e é uma pena que o senhor veja esta casa pela primeira vez com este clima. — Por milagre, a umidade estava deixando suas mãos, as axilas e a virilha.

A tensão no pequeno saguão relaxou tangivelmente. Ele percebeu que a maior parte estava emanando de Dorothy. Por que não? Ele a vira incontáveis vezes nos últimos anos, entrando e saindo da casa dos Eldredge, empurrando as crianças no balanço, levando-as em seu carro. Ele sabia da ficha da mulher: uma daquelas melancólicas viúvas de meia-idade que tentavam ser importantes para alguém; uma parasita. Marido morto. Sem filhos. Um milagre que não tivesse uma mãe doente. A maioria delas tinha. Isso as ajudava a serem mártires para os amigos. Tão legal com a mãe. Por quê? Porque elas precisavam ser boas com alguém. Tinham de ser importantes. E se tivessem filhos, elas se concentravam neles. Assim como a mãe de Nancy fizera.

— Andei ouvindo o rádio — disse ele a Dorothy — e fiquei tão perturbado. Já encontraram os filhos dos Eldredge?

— Não. — Dorothy sentiu um formigamento em todas os terminais nervosos. De dentro, ela podia ouvir que o rádio estava ligado. Ela pegou a palavra "boletim". — Com licença — disse ela e correu para a sala de estar, para junto do rádio. Rapidamente, aumentou o volume. — "... aumento da tempestade. Previsão de ventanias de 80 a 95 quilômetros por hora. É perigoso dirigir. As buscas por ar e água das crianças Eldredge foram suspensas por tempo indeterminado. Radiopatrulhas especiais continuarão a circular por Adams Port e arredores. O chefe de polícia Coffin, de Adams Port, pede que qualquer um que acredite ter alguma informação entrem em contato imediatamente com a polícia. Ele pede que qualquer incidente estranho seja discutido com a polícia, como um veículo desconhecido que possa ter sido visto nos arredores da casa dos Eldredge; qualquer pessoa ou pessoas desconhecidas na área. Ligue para este número especial: KL cinco, três oito zero zero. Seu anonimato será respeitado."

A voz do comentarista continuou: "Apesar do apelo urgente por pistas do desaparecimento das crianças, sabemos de fonte segura que a Sra. Nancy Harmon Eldredge será levada à delegacia para interrogatório."

Ela precisava ir para junto de Nancy e Ray. Dorothy se virou para John Kragopoulos abruptamente.

— Como pode ver, este é um apartamento encantador, bem adequado para duas pessoas. A vista das janelas da frente e dos fundos nesta sala é realmente espetacular.

— O senhor seria astrônomo? — perguntou John Kragopoulos a Courtney Parrish.

— Na verdade, não. Por que pergunta?

— É que este telescópio é magnífico.

Tardiamente, Parrish percebeu que o telescópio ainda estava posicionado para a casa dos Eldredge. Vendo que John Kragopoulos estava prestes a olhar por ele, deu um puxão repentino, que lançou o telescópio para cima.

— Gosto de estudar as estrelas — disse ele apressadamente.

John Kragopoulos semicerrou os olhos ao olhar pela lente.

— Um equipamento magnífico — disse ele. — Simplesmente magnífico. — Com cuidado, manipulou o telescópio até que estivesse apontando na mesma direção em que o percebera. Depois, sentindo o antagonismo do outro homem, ergueu o corpo e começou a estudar a casa. — É um apartamento bem projetado — comentou com Dorothy.

— Eu fico muito confortável aqui — disse Parrish. Por dentro, estava furioso consigo mesmo. Mais uma vez tinha exagerado na reação. A umidade jorrava de seu corpo de novo. E se tivesse esquecido de mais alguma coisa? Haveria algum sinal das crianças por ali? Freneticamente, seus olhos dardejaram pela sala. Nada.

Dorothy disse:

— Gostaria de mostrar o quarto e o banheiro, se não houver problema.

— Claro que não há.

Ele endireitara o cobertor na cama e enfiara a lata de talco infantil na gaveta da mesa-de-cabeceira.

— O banheiro é tão grande quanto os quartos secundários de hoje — disse Dorothy a John Kragopoulos. Depois, enquanto olhava em volta, disse: — Ah, me desculpe. — Ela olhava fixamente para a banheira cheia. — Viemos em uma hora inconveniente para o senhor. Estava prestes a entrar no banho.

— Não tenho um horário tão rígido. — Apesar das palavras, ele conseguiu deixar a impressão de que ela realmente fora inconveniente.

John Kragopoulos recuou apressado para o quarto. Percebera que este homem obviamente se ressentia de sua vinda. Deixar a banheira desse jeito era uma forma rude de assinalar isto. E o pato de borracha flutuando na banheira. Um brinquedo de criança. Ele pestanejou, revoltado. Sua mão tocou a porta do armário. A boa qualidade da madeira o intrigou. De fato, esta casa fora belamente construída. John Kragopoulos era um homem de negócios astuto, mas também acreditava no instinto. Seu instinto lhe dizia que esta casa seria um bom investimento. Eles queriam 350 mil por ela... Ele ia oferecer 295 mil e chegar a 320. Tinha certeza de que podia conseguir por isso.

Com a decisão em mente, começou a ter um interesse de proprietário pelo apartamento.

— Posso abrir este closet? — perguntou ele. A pergunta era retórica. Ele já estava girando a maçaneta.

— Desculpe. Troquei a fechadura deste closet e não consigo encontrar a chave. Se quiser olhar o outro... são praticamente idênticos.

Dorothy olhou de forma penetrante a nova maçaneta e a fechadura. As duas eram objetos baratos de loja de ferragens.

— Espero que tenha guardado a maçaneta original — disse ela. — Todas as maçanetas da casa foram especialmente fundidas em bronze maciço.

— Sim, eu guardei. Precisava de conserto. — Meu Deus, essa mulher ia insistir em girar a maçaneta? E se a fechadura nova ceder? Não ficou muito bem ajustada à madeira antiga. E se abrir?

Dorothy relaxou a mão. A leve chama de irritação que sentira desapareceu com a mesma rapidez com que veio. Que diferença havia, em nome de Deus, se todas as maçanetas de bronze do universo fosse trocadas? Quem ligava para isso?

Parrish teve de apertar os lábios para não expulsar aquela mulher barulhenta e seu comprador em potencial. As crianças estavam bem do outro lado da porta. Será que ele havia apertado as mordaças o suficiente? Estariam ouvindo a voz conhecida e tentando fazer algum tipo de barulho? Ele precisava se livrar dessa gente.

Mas Dorothy também queria ir. Ela estava ciente de um aroma indefinivelmente familiar no quarto — um cheiro que lhe dava uma consciência aguda de Missy. Ela se virou para John Kragopoulos.

— Talvez seja melhor irmos... se estiver pronto.

Ele assentiu.

— Estou pronto, obrigado. — Ele começou a partir, desta vez evitando obviamente um aperto de mãos. Dorothy o seguiu.

— Obrigada, Sr. Parrish — disse ela apressadamente por sobre o ombro. — Entrarei em contato com o senhor.

Ela seguiu na frente, descendo para o piso principal em silêncio. Eles passaram pela cozinha e, quando ela abriu a porta dos fundos, pôde ver por que o alerta de ventania estava em vigor. O vento tinha aumentado muito no breve intervalo em que estiveram na casa. Ah, meu Deus, as crianças vão morrer expostas ao frio se estiverem aí fora esse tempo todo.

— É melhor corrermos até a garagem — disse ela. John Kragopoulos, parecendo preocupado, assentiu e pegou o braço dela. Juntos, eles correram, sem se incomodar em ficar debaixo do telhado. Com um vento cada vez mais veloz, simplesmente não havia proteção contra o granizo, que agora estava se fundindo com a neve.

Na garagem, Dorothy andou entre a perua e seu carro e abriu a porta do motorista. Ao começar a entrar no carro, ela olhou para baixo. Um pedaço vermelho vivo de tecido no chão da garagem atraiu sua atenção. Saindo do carro novamente, ela se abaixou, pegou-o e entrou no carro, segurando o objeto no rosto. John Kragopoulos, parecendo alarmado, perguntou:

— Minha cara Sra. Prentiss, qual é o problema?

— É a luva! — disse ela, chorando. — A luva de Missy. Ela estava usando ontem, quando a levei para tomar sorvete. Deve ter deixado no carro. Acho que chutei para fora quando saí do carro antes. Ela sempre perdia as luvas. Nunca tinha duas que combinassem. Sempre brincávamos sobre isso. E hoje de manhã encontraram o par desta aqui no balanço. — Dorothy começou a soluçar, um som seco e cortante que tentou abafar segurando a luva nos lábios.

John Kragopoulos disse em voz baixa:

— Há pouco que eu possa dizer, a não ser lembrá-la de que um Deus piedoso e amoroso está ciente de sua dor e da agonia dos pais. Ele não os deixará desassistidos. De alguma forma tenho confiança nisso. Agora, por favor, não gostaria que eu dirigisse?

— Por favor — disse Dorothy com a voz sufocada. Ela enfiou a luva no fundo do bolso enquanto passava para o lado. Não queria que Nancy ou Ray vissem a luva; seria doloroso demais. Ah, Missy, Missy! Ela havia tirado a luva quando começara a tomar o sorvete ontem. Ela podia vê-la largando a luva no banco do carro. Ah, pobres criancinhas.

John Kragopoulos ficou feliz por dirigir. Uma grande inquietação caíra sobre ele na sala com aquele homem horrível. Havia algo muito repugnante e azedo nele. E aquele cheiro de talco no quarto e o brinquedo inacreditável na banheira. Como um homem adulto podia precisar desses ornamentos?

No alto, Parrish estava de lado e viu da janela até que o carro desaparecesse na curva da estrada. Depois, com os dedos trêmulos, pegou a chave no bolso e destrancou o closet.

O menino estava consciente. Seu cabelo cor de areia caía na testa, e os grandes olhos azuis estavam cheios de terror enquanto olhava fixamente e mudo. Sua boca ainda estava tapada com segurança e as mãos e pernas firmemente amarradas.

Bruscamente, empurrou a criança de lado e estendeu a mão para pegar a menininha. Ele ergueu seu corpo flácido e a deitou na cama — depois guinchou de ultraje e desespero ao ver os olhos cerrados e o rosto azulado...

# 16

AS MÃOS DE NANCY SE FECHAVAM e se abriam, puxando a manta. Delicadamente, Lendon cobriu seu dedos com as mãos fortes e bem-feitas. A ansiedade e a agitação levavam Nancy a respirar de forma rude e trabalhosa.

— Nancy, não se preocupe. Todos aqui sabem que você não poderia machucar as crianças. É o que quer dizer, não é?

— Sim... sim... as pessoas acham que posso machucá-las. Como poderia matá-las? Elas são minhas. Eu morri com elas...

— Todos morremos um pouco quando perdemos as pessoas que amamos, Nancy. Pense comigo na época em que todos os problemas começaram. Me conte como foi quando você foi criada no Ohio.

— Criada? — A voz de Nancy se arrastou para um sussurro. A rigidez de seu corpo começou a relaxar.

— Sim, me fale de seu pai. Eu não o conheci.

Jed Coffin se mexeu, inquieto, e a cadeira em que estava sentado estalou no piso de madeira. Lendon lançou-lhe um olhar de alerta.

— Tenho motivos para isso — disse ele em voz baixa. — Por favor, seja paciente comigo.

— Papai? — A voz de Nancy ficou cadenciada. Ela riu suavemente. — Ele era tão engraçado. A mamãe e eu íamos de carro ao aeroporto para pegá-o quando ele chegava de um vôo. Em todos aqueles anos, ele nunca voltou de uma viagem sem trazer alguma coisa para mamãe e para mim.

Fomos ao mundo todo nas férias dele. Eles sempre me levavam. Eu me lembro de uma viagem...

Ray não tirava os olhos de Nancy. Ele nunca a ouvira falar nesse tom — animado, alegre, uma onda de riso percorrendo suas palavras. Era isso que tentara cegamente encontrar nela? Seria mais do que estar cansado de viver com o medo da descoberta? Ele esperava que sim.

Jonathan Knowles ouvia Nancy com atenção, aprovando a técnica que Lendon Miles usava para conquistar sua confiança e relaxá-la antes de perguntar pelos detalhes do dia em que as crianças Harmon desapareceram. Era agonizante ouvir o tiquetaquear baixo do relógio antigo... Um lembrete de que o tempo estava passando. Ele percebeu que achava impossível não olhar para Dorothy. Ele sabia que tinha sido ríspido quando lhe falou enquanto ela entrava no carro. Foi sua decepção que o levara a reagir à mentira proposital de Dorothy — o fato de que ela tivesse feito questão de dizer a ele pessoalmente que conhecera Nancy quando criança.

Por que ela fez isso? Seria talvez por ele ter indicado de algum modo que Nancy parecia conhecida? Seria simplesmente uma tentativa de mantê-lo longe da verdade porque ela não podia confiar a verdade a ele? Teria ele talvez demonstrado o que Emily costumava chamar de seu jeito "sua testemunha, doutor"?

De qualquer forma, ele sentia que devia desculpas a Dorothy. Ela não parecia bem. A tensão estava pesando nela. Ainda estava com o casaco grosso e as mãos enfiadas nos bolsos. Decidiu que falaria com ela na primeira oportunidade. Ela precisava se acalmar. Certamente ela adorava aquelas crianças.

As luzes da sala piscaram, depois se apagaram.

— É típico. — Jed Coffin colocou o microfone na mesa e procurou por fósforos. Rapidamente, Ray acendeu os antigos lampiões a gás de cada lado da cornija da lareira. Eles lançaram um brilho amarelo que se fundia e se misturava com as chamas vermelhas da lareira, banhando de um brilho rosado o sofá onde Nancy estava deitada e criando sombras profundas nos cantos da sala escura.

Parecia a Ray que o bater constante do granizo na casa e o gemido do vento através dos pinheiros tinham se intensificado. E se as crianças estiverem lá fora em algum lugar, com esse clima...? Ontem à noite, acordara ouvindo Missy tossir. Mas quando foi ao quarto dela, ela já havia adormecido profundamente, seu rosto coberto pela mão em concha. Enquanto se abaixava para puxar suas cobertas, ela murmurara, "Papai" e se mexera, mas ao toque da mão dele em suas costas, se aquietara novamente.

E Michael. Ele e Mike tinham ido comprar leite no Wiggins' Market — só ontem de manhã? Eles chegaram justo quando o inquilino da Sentinela, o Sr. Parrish, estava saindo. O homem assentira de forma simpática, mas quando entrou em sua velha picape Ford, o rosto de Michael estava franzido de desprazer. "Não gosto dele", dissera.

Ray quase sorriu com a lembrança. Mike era um garotinho forte, mas tinha algo da repulsa de Nancy pela feiúra e, por mais que você se esforçasse para pensar o contrário, Courtney Parrish era um homem desajeitado, de movimentos lentos e nada atraente.

Até os Wiggins comentaram com ele. Depois que Parrish saiu, Jack Wiggins dissera secamente: "O camarada aí é o ser humano mais lento que já vi na vida, ele perambula pela loja como se tivesse todo o tempo do mundo."

Michael parecera refletir. "Eu nunca tenho muito tempo", dissera ele. "Estou ajudando meu pai a reformar uma mesa para o meu quarto, e toda vez que quero continuar trabalhando, tenho que me arrumar para a escola."

"Tem um belo ajudante aqui, Ray", assinalara Jack Wiggins. "Um dia desses vou dar um emprego a ele; ele parece um bom trabalhador."

Mike tinha pego o pacote. "Eu sou forte também", dissera ele. "Posso carregar coisas. Posso carregar minha irmã por um bom tempo."

Ray cerrou as mãos em punho. Isso era irreal, impossível. As crianças desaparecidas. Nancy sedada. O que ela estava dizendo?

A voz dela ainda tinha aquela alegria ansiosa.

– Papai costumava chamar minha mãe e eu de as meninas dele... — A voz dela falhou.

— O que foi, Nancy? — perguntou o Dr. Miles. — Seu pai a chamava de a garotinha dele? Isso aborrecia você?

— Não... não... não... ele chamava a nós duas de as meninas dele. Era diferente... era diferente... não era assim... — A voz se elevou, aguda de protesto.

A voz de Lendon era tranqüilizadora.

— Tudo bem, Nancy. Não se preocupe com isso. Vamos falar da faculdade. Quer ir para a faculdade?

— Quero... e queria mesmo... só que... eu estava preocupada com a minha mãe...

— Por que se preocupava com ela?

— Tinha medo de que ela se sentisse sozinha... por causa de papai... e vendemos a casa; ela estava se mudando para um apartamento. Era mudança demais para ela. E ela havia começado em um novo emprego. Mas gostava de trabalhar... Ela disse que queria que eu fosse... costumava dizer que hoje... hoje...

— Hoje é o primeiro dia do resto de sua vida — completou Lendon em voz baixa. Sim, Priscilla dissera isso a ele também. No dia em que ela entrou no escritório depois de colocar Nancy no avião para a universidade. Ela lhe disse sobre ainda acenar o adeus depois que o avião tinha taxiado para a pista. Depois seus olhos se inundaram e ela sorrira, desculpando-se. "Olha como sou ridícula", dissera ela, tentando rir; "a supermãe proverbial."

"Acho que você está se saindo bem", dissera Lendon a ela.

"É só que quando você pensa em como sua vida pode mudar... de forma tão inacreditável. E, de repente, toda uma parte, a parte mais importante... acaba. Mas por outro lado, acho que quando você tem uma coisa maravilhosa... tanta felicidade... não pode pensar no passado e se arrepender. Foi o que eu disse a Nancy hoje... Não quero que ela se preocupe comigo. Quero que ela tenha uma época maravilhosa da faculdade. Eu disse que nós duas precisamos nos lembrar daquele ditado: Hoje é o primeiro dia do resto de nossas vidas."

Lendon lembrava-se de que um paciente tinha chegado ao consultório. Na hora, ele considerara isso uma bênção; havia estado perigosamente perto de colocar os braços em volta de Priscilla.

— ... mas estava tudo bem — dizia Nancy, a voz ainda hesitante, tateando. — As cartas da mamãe eram animadas. Ela adorava o emprego. Escrevia muito sobre o Dr. Miles... fiquei feliz.

— Você gostou da universidade, Nancy? — perguntou Lendon. — Fez muitos amigos?

— No começo. Eu gostava das garotas, e namorei muito.

— E suas atribuições lá? Você gostava das matérias?

— Ah, sim. Eu aprendia tudo com muita facilidade... menos biologia...

Seu tom de voz mudou — tornou-se sutilmente perturbado.

— Essa era mais difícil. Jamais gostei de ciências... mas a faculdade exigia.. então fiz...

— E conheceu Carl Harmon.

— Sim. Ele... queria me ajudar em biologia. Levou-me à sala dele e repassou o trabalho comigo. Disse que eu estava namorando demais e precisava parar, ou ia ficar doente. Ele era tão preocupado... Até começou a me dar vitaminas. Ele devia ter razão... porque eu estava tão cansada... tanto... e comecei a me sentir tão deprimida... eu sentia falta da mamãe...

— Mas você sabia que voltaria para casa no Natal.

— Sim... e isso não fazia sentido... De repente... fiquei tão mal... não queria aborrecê-la... então não escrevi sobre isso... mas acho que ela sabia... Ela foi passar o fim de semana lá... porque estava preocupada comigo... eu sabia... e depois ela morreu... porque ela foi me ver... Foi minha culpa... minha culpa... — A voz dela se elevou em um guincho de dor, depois irrompeu em lágrimas.

Ray começou a se levantar, mas Jonathan o puxou de volta. O lampião bruxuleava no rosto de Nancy. Estava contorcido de dor.

— Mãe! — gritou ela — Ah, mamãe... por favor, por favor, viva... preciso de você... mãe, não morra... mãe....

Dorothy virou a cabeça, tentando conter as lágrimas. Não surpreendia que Nancy se ressentisse da observação que ela fizera sobre ser uma avó emprestada de Missy e Michael. Por que ela estava aqui? Ninguém sequer estava consciente de sua presença e nem se importava com isso. Ela seria mais útil se saísse e fizesse um café. Nancy podia querer um pouco também, mais tarde. Ela devia tirar o casaco. Não conseguia. Sentia tanto frio; sentia-se tão só. Ela olhou para baixo por um momento, para o tapete feito à mão, e viu a padronagem se toldar diante dos olhos. Levantando a cabeça, ela encontrou o olhar inescrutável de Jonathan Knowles e percebeu que ele a estava observando havia algum tempo.

— ... Carl a ajudou quando sua mãe morreu. Ele era bom para você? — Por que Lendon Miles estava estendendo essa agonia? Que sentido tinha em fazer Nancy reviver isso também? Dorothy começou a se levantar.

Nancy respondeu em voz baixa.

— Ah, sim. Ele era muito bom comigo... Ele cuidou de tudo.

— E você se casou com ele.

— Sim. Ele disse que ia cuidar de mim. E eu estava tão cansada. Ele era tão bom para mim...

— Nancy, você não deve se culpar pelo acidente da sua mãe. Não foi culpa sua.

— Acidente? — A voz de Nancy era especulativa. — Acidente? Mas não foi um acidente. Não foi um acidente...

— É claro que foi. — A voz de Lendon continuava calma, mas ele podia sentir um aperto nos músculos da garganta.

— Não sei... não sei...

— Tudo bem; vamos falar disso mais tarde. Fale sobre o Carl.

— Ele era bom para mim...

— Você não pára de dizer isso, Nancy. Como ele era bom para você?

— Ele cuidava de mim. Eu estava doente; ele teve que fazer tanto por mim...

— O que ele fez por você, Nancy?

— Não quero falar nisso.

— Por que, Nancy?

— Não quero. Não...

— Tudo bem. Fale-nos das crianças. De Peter e Lisa.

— Eles eram tão bons...

— Eles eram bem-comportados, quer dizer.

— Eles eram tão bons... bons demais...

— Nancy, você não pára de dizer "bom". Carl era tão bom para você. E as crianças eram tão boas. Você deve ter sido muito feliz.

— Feliz? Eu estava tão cansada...

— Por que estava tão cansada?

— Carl disse que eu era muito doente. Ele era tão bom para mim.

— Nancy, você precisa nos contar. Como é que Carl era bom para você?

— Ele cuidava para que eu ficasse melhor. Queria que eu ficasse melhor. Disse que eu tinha de ser uma boa garotinha.

— Como é que você se sentia doente, Nancy? O que sentia?

— Tão cansada... sempre tão cansada... Carl me ajudava...

— Ajudava como?

— Não quero falar nisso.

— Mas deve, Nancy. O que Carl fazia?

— Estou cansada... agora estou cansada...

— Tudo bem, Nancy. Quero que descanse por alguns minutos; depois vamos conversar mais. Só descanse... Descanse...

Lendon se levantou. O chefe Coffin imediatamente pegou o braço dele e apontou a cozinha com a cabeça. Assim que saíram da sala, o chefe Coffin falou abruptamente:

— Isso não está nos levando a parte alguma. Deve levar horas e você não vai descobrir nada. A garota se culpa pelo acidente da mãe porque a mãe fez a viagem para vê-la. É simples. Agora, se acha que pode descobrir mais alguma coisa sobre os assassinatos Harmon, faça isso logo. Ou vou interrogá-la na delegacia.

— Não se pode forçar... Ela está começando a falar... Há muita coisa que nem o subconsciente dela quer ver.

O chefe rebateu:

— E não quero encarar a mim mesmo se houver alguma possibilidade de estas crianças ainda estarem vivas enquanto estou perdendo tempo aqui.

— Tudo bem, vou questioná-la sobre esta manhã. Mas primeiro, por favor, me deixe perguntar a ela sobre o dia em que as crianças Harmon desapareceram. Se houver alguma ligação entre os dois casos, ela pode revelar.

O chefe Coffin olhou o relógio.

— Meu Deus, são quase quatro horas. Qualquer visibilidade que tivemos o dia todo vai sumir daqui a meia hora. Onde está o rádio? Quero ouvir o noticiário.

— Tem um na cozinha, chefe. — Bernie Mills, o patrulheiro de serviço na casa, era um homem diligente, em seus 30 anos. Estava na polícia havia 12 anos e este era de longe o caso mais sensacional de que tinha conhecimento. Nancy Harmon. Nancy Eldredge era Nancy Harmon! A esposa de Ray Eldredge. Quem diria. Nunca se sabia o que se passava dentro das pessoas. Bernie tinha jogado no mesmo time de verão de Ray Eldredge quando eles eram crianças. Depois Ray partira para uma daquelas escolas preparatórias de elite e para o Dartmouth College. Ele nunca esperou que Ray se estabelecesse no Cape quando terminasse o serviço militar. Mas ele voltara. Quando se casou com a garota que alugava esta casa, todo mundo disse que ela era atraente. Algumas pessoas comentaram que ela meio que lembrava outra pessoa.

Bernie se lembrava de sua própria reação a essa conversa. Muita gente se parecia com outras pessoas. O tio dele mesmo, um malandro bêbado que tornou a vida da tia dele infeliz, era a cara de Barry Goldwater. Ele olhou rapidamente pela janela. Os carros da televisão ainda estavam ali, com os caminhões e toda a aparelhagem. Procurando por uma história. Ele se perguntou o que eles iam pensar se soubessem que Nancy Eldredge tinha recebido uma injeção de soro da verdade. Ora, esta era uma história e tanto. Ele estava ansioso para ir para casa contar a Jean sobre isso. Ele se perguntou como estaria sua mulher. O bebê havia tido dor da dentição ontem à noite; e mantivera os dois acordados.

Por um minuto único e terrível Bernie se perguntou como seria se o garotinho desaparecesse num dia como esse... lá fora... e ele não soubesse. A perspectiva era tão pavorosa, tão comovente, tão perturbadora que ele a rejeitou. Jean nunca tirava os olhos de Bobby. Às vezes ela enlouquecia Bernie por ficar sempre em torno da criança. Neste exato momento a necessidade dela de jamais tirar os olhos do bebê o tranqüilizou, mitigou suas apreensões. O garotinho estava bem — graças a Jean.

Dorothy estava na cozinha enchendo a cafeteira. Bernie refletiu que Dorothy o irritava um pouco. Tinha um jeito tão... bem, se poderia chamar de reservado. Ela podia ser legal e simpática — mas, bem, Bernie não sabia. Ele concluiu que Dorothy era só meio empolada demais para ele.

Ele ligou o rádio transistor e de imediato a voz de Dan Phillips, o apresentador do noticiário da WCOD de Hyannis, encheu o ambiente. "O caso das crianças desaparecidas da família Eldredge acaba de dar uma nova guinada", disse Phillips, e sua voz pulsava de uma empolgação nada profissional. "Um mecânico, Otto Linden, do posto da Route 28 em Hyannis, acaba de nos telefonar para dizer que pode contar com toda certeza que hoje, às nove da manhã, ele encheu o tanque de gasolina de Rob Legler, a testemunha desaparecida no caso do assassinato dos Harmon sete anos atrás. O Sr. Linden disse que Legler parecia nervoso e deu voluntariamente a informação de que estava a caminho de Adams Port para visitar alguém que provavelmente não ficaria feliz em vê-lo. Ele dirigia um Dodge Dart vermelho do ano."

Jed Coffin praguejou em voz baixa.

— E eu perdendo meu tempo aqui ouvindo essa bobajada. — Ele seguiu para o telefone e o pegou no momento em que começou a tocar. Depois que o interlocutor se identificou, disse com impaciência: — Eu ouvi. Tudo bem. Quero um bloqueio nas pontes que vão para o continente. Verifique o arquivo de desertores do FBI... Descubra o que eles podem saber sobre o paradeiro mais recente de Rob Legler. Dê o alerta para um Dodge vermelho. — Ele bateu o fone no gancho e se virou para Lendon. — Agora tenho uma pergunta simples para o senhor fazer à Sra. Eldredge. Se Rob Legler esteve hoje de manhã aqui ou não... e o que disse a ela.

— Quer dizer... — Lendon começou a falar.

— Quero dizer que Rob Legler é a pessoa que pode jogar Nancy Eldredge de volta a um julgamento por assassinato. O caso Harmon nunca foi encerrado. Agora, imagine que ele ficou escondido no Canadá por seis anos, por aí. Ele precisa de dinheiro. Não foi por volta do julgamento Harmon que Nancy herdou um bom dinheiro dos pais dela?... Uns 150 mil dólares? Agora, imagine que Rob Legler saiba desse dinheiro e de alguma forma tenha descoberto onde está Nancy. A equipe da promotoria de San Francisco sabe onde ela está. Agora, imagine que Legler tenha concluído que está enjoado do Canadá e queira voltar para cá e precise de dinheiro. Que tal procurar Nancy Eldredge e prometer mudar seu testemunho se ele for pego e houver um novo julgamento? Equivale a fazer com que ela lhe dê um cheque em branco pelo resto da vida. Ele vem aqui. Ele fala com ela. A coisa fica feia. Ela não cai na conversa dele... ou ele muda de idéia. Ela sabe que a qualquer momento ele pode ser pego ou se apresentar e ela terá de voltar a San Francisco sob a acusação de assassinato... e ela explode...

— E assassina as crianças Eldredge? — A voz de Lendon era desdenhosa. — Já pensou na possibilidade de que esse estudante que quase colocou Nancy na câmara de gás estivesse próximo dos locais de desaparecimento das crianças nos dois casos? Me dê mais uma chance — pediu Lendon. — Deixe-me perguntar a ela sobre o dia em que as crianças Harmon desapareceram. Quero que ela descreva primeiro os acontecimentos daquele dia.

— Você tem trinta minutos... não mais do que isso.

Dorothy começou a servir café em xícaras que ela já colocara numa bandeja. Rapidamente, cortou um bolo de café que Nancy havia preparado na véspera.

— Talvez um café vá ajudar a todos — disse ela.

Ela levou a bandeja para a sala da frente. Ray estava sentado na cadeira que Lendon arrastara para perto do sofá. Ele segurava as mãos de Nancy nas dele, massageando-as delicadamente. Ela estava muito parada, a respiração era estável, mas enquanto os outros voltavam à sala, ela se agitou e gemeu.

Jonathan estava junto à cornija da lareira, olhando o fogo. Tinha acendido o cachimbo, e o cheiro quente do tabaco de qualidade que ele usava começara a penetrar na sala. Dorothy o respirou fundo enquanto baixava a bandeja de café na mesa de pinho redonda ao lado da lareira. Uma onda de pura nostalgia a inundou. Kenneth fumava cachimbo, e desta marca de tabaco. Ela e Kenneth adoravam tardes tempestuosas de inverno como esta. Eles faziam um fogo alto, compravam vinho, queijo e livros, depois se sentavam juntos satisfeitos. O arrependimento a dominou. Arrependimento porque não se pode realmente controlar a vida. Na maior parte do tempo, você não age; você reage.

— Quer café e bolo? — perguntou ela a Jonathan.

Ele a olhou, pensativo.

— Por favor.

Ela sabia que ele usava creme e açúcar. Sem perguntar, preparou o café desse jeito e o passou para ele.

— Não devia tirar seu casaco? — perguntou ele.

— Daqui a pouco. Ainda estou com muito frio.

O Dr. Miles e o chefe Coffin a haviam seguido e estavam se servindo de café. Dorothy serviu outra xícara e a levou para o sofá.

— Ray, por favor, tome.

Ele olhou para ela.

— Obrigado. — Ao estender a mão, ele murmurou para Nancy: — Tudo vai ficar bem, garotinha.

Nancy se sacudiu violentamente. Seus olhos se abriram e ela estendeu os braços, derrubando a xícara da mão de Ray, que caiu e se quebrou no chão, derramando o líquido quente pelo roupão e pelo cobertor que ela usava. Gotas de café espirraram em Ray e Nancy. Ao mesmo tempo, eles pestanejaram enquanto Nancy gritava no tom desesperado de um animal preso:

— Não sou sua garotinha! Não me chame de sua garotinha!

# 17 _____

COM UM SUSPIRO PESADO, Courtney Parrish virou a cara da pequena figura imóvel na cama. Ele havia tirado o adesivo da boca de Missy e as cordas de seus pulsos e tornozelos, e eles formavam uma pilha desordenada na colcha. Seu cabelo fino e sedoso agora estava embaraçado. Ele pretendia penteá-lo quando desse banho nela, mas agora não tinha sentido. Ele precisava que ela reagisse.

O garotinho, Michael, ainda estava no chão do armário. Seus grandes olhos azuis ficaram apavorados enquanto Courtney o pegava e o abraçava contra seu peito enorme.

Ele deitou Michael na cama, desfez as amarras nos tornozelos e, com um puxão rápido, arrancou a fita adesiva de sua boca. O menino gritou de dor, depois mordeu o lábio. Ele parecia mais responsivo — infinitamente cansado, apreensivo, mas com uma certa coragem de animal aprisionado.

— O que você fez com a minha irmã? — O tom beligerante fez Courtney perceber que o menino não tinha tomado todo o leite com o sedativo que ele lhe dera pouco antes daqueles idiotas chegarem.

— Ela está dormindo.

— Vamos para casa. Queremos ir para casa. Não gosto de você. Eu disse ao meu pai que não gosto de você, e a tia Dorothy estava aqui e você escondeu a gente.

Courtney ergueu a mão direita, dobrou-a no formato de uma luva de beisebol e bateu na cara de Michael. O garoto recuou de dor e depois rolou, saindo do alcance do homem. Courtney estendeu a mão para ele, perdeu o equilíbrio e caiu atravessado na cama. Sua boca tocou o cabelo louro e emaranhado de Missy, e por um momento ele se distraiu. Içando-se, ele se virou e se colocou de pé, agachando-se para se lançar para Michael. Mas Michael estava de costas para a porta do quarto. Com um movimento rápido, ele abriu a porta e correu para a sala adjacente.

Courtney atirou-se atrás dele, percebendo que não havia trancado a porta do apartamento. Não queria que Dorothy ouvisse o barulho distinto da tranca sendo virada quando estivesse descendo a escada.

Michael abriu a porta e correu para a escada. Seus sapatos se chocavam com ruído nos degraus acarpetados. Ele se movia com rapidez, uma sombra magra que disparou para a escuridão protetora do terceiro andar. Courtney correu atrás dele, mas, em sua disparada frenética, perdeu o equilíbrio e caiu. Rolou seis degraus antes de conseguir interromper a queda, agarrando o pesado corrimão de madeira. Sacudindo a cabeça para clareá-la, ele se colocou de pé, ciente de uma dor aguda no tornozelo direito. Tinha que se certificar de que a porta da cozinha estava trancada.

Não havia mais nenhum som de passos. O menino devia estar escondido em um dos quartos do terceiro andar, mas tinha muito tempo para procurar por ele. Primeiro a porta da cozinha. As janelas não eram um problema. Todas tinham trancas duplas, e de qualquer forma eram pesadas demais. A tranca dupla na porta da frente era alta demais para uma criança. Ele tinha que verificar a porta da cozinha, depois procurar pelo menino — cômodo por cômodo. Ia chamar por ele e lhe dar uma bronca. O garoto estava tão assustado. Seus olhos estavam tão apavorados e cansados.

Desse jeito, parecia mais do que nunca com Nancy. Ah, isso era tão inesperadamente maravilhoso! Mas ele tinha de correr. Tinha de garantir que o menino não saísse da casa.

— Volto já, Michael — gritou ele. — Vou te encontrar. Eu vou te encontrar, Michael. Você é um menino muito mau. Deve ser castigado, Michael. Você me ouviu, Michael?

Ele pensou ter ouvido um barulho no quarto à direita e correu, apesar do tornozelo. Mas o quarto estava vazio. E se o menino tivesse passado por este corredor e usado a escada da frente? Em pânico, ele cambaleou pelos dois andares restantes. Lá fora, podia ouvir as ondas da baía se quebrando nas rochas. Correu para a cozinha e para a porta. Esta era a porta que sempre usava para entrar e sair da casa. A porta tinha não só duas fechaduras, mas um ferrolho alto. Sua respiração saía em um arfar rápido e furioso. Com os dedos grossos e trêmulos, passou o ferrolho. Depois puxou uma cadeira pesada da cozinha e a colocou debaixo da maçaneta. O menino nunca conseguiria mover aquilo. Não havia outro meio de sair da casa.

A forte tempestade quase tinha apagado o que restava da luz do dia. Courtney acendeu a luz do teto, mas um instante depois ela se apagou. Percebeu que a tempestade devia ter arrancado alguns fios. Assim seria muito mais difícil achar o menino. Todos os quartos de cima eram totalmente mobiliados. Todos também tinham closets — grandes — e armários onde ele podia se esconder. Courtney mordeu o lábio de fúria enquanto pegava o lampião de emergência na mesa, riscava o fósforo e acendia o pavio. O vidro era vermelho e a luz lançou um brilho avermelhado e sinistro na parede da lareira, nas tábuas corridas desbotadas e no teto de vigas grossas. O vento gemia nas venezianas enquanto Courtney chamava.

— Michael... Está tudo bem, Michael. Não estou mais com raiva. Venha, Michael. Vou levar você para casa, para a sua mãe.

# 18

A OPORTUNIDADE DE CHANTAGEAR Nancy Harmon era do que Rob Legler precisara por mais de seis anos — desde o dia em que pegara um avião para o Canadá depois de rasgar cuidadosamente suas ordens de embarque para o Vietnã. Naquele período, trabalhara como lavrador nos arredores de Halifax. Foi o único emprego que conseguiu e ele o odiava. Nem por um minuto se arrependeu de sua decisão de fugir do serviço militar. Quem diabos ia querer ir para um buraco sujo e quente para ser alvejado por um bando de baixinhos cretinos? Ele não queria.

Ele havia trabalhado na fazenda no Canadá porque não tinha alternativa. Saíra de San Francisco com sessenta pratas no bolso. Se voltasse para casa, seria atirado na cadeia. Uma condenação por deserção não era o jeito ideal de passar o resto da vida. Ele precisava de uma boa grana para ir para um lugar como a Argentina. Não ia ser um dos milhares de desertores que acabam conseguindo voltar aos Estados Unidos com identidade falsa. Graças àquele maldito caso Harmon, ele era um homem procurado.

Se ao menos essa condenação tivesse sido revogada... esse caso teria sido encerrado. Mas aquele cretino do promotor público dissera que nem se passasse vinte anos, ia julgar Nancy Harmon novamente pelo assassinato daquelas crianças, e Rob era a testemunha, a testemunha que fornecia o motivo.

Rob não podia deixar aquela cena acontecer novamente. Da última vez, o promotor dissera ao júri que devia haver mais motivos para matar do que o desejo de Nancy Harmon de se livrar de um problema doméstico. "Ela devia estar apaixonada", dissera ele. "Temos aqui uma mulher jovem e muito atraente que desde os 18 anos é casada com um homem mais velho. Sua vida pode muito bem ser motivo de inveja para muitas jovens. A dedicação do professor Harmon a sua jovem esposa e família era um exemplo para a comunidade. Mas Nancy Harmon está satisfeita? Não. Quando aparece um estudante faz-tudo, mandado pelo marido para que ela não tenha que suportar sequer algumas horas de desconforto, o que ela faz? Ela o segue por toda parte, insiste para que ele tome café, diz que é bom conversar com alguém jovem... Diz que precisa ir embora... Reage apaixonadamente a suas investidas... E depois, quando ele diz a ela que 'criar filhos não é para ele', ela calmamente lhe promete que seus filhos ficarão sufocados.

"Agora, senhoras e senhores do júri, eu menosprezo Rob Legler. Acredito que ele brincou com essa jovem tola. Não acredito nem por um minuto que a paixão pecaminosa dos dois tenha terminado com alguns beijos... Mas acredito nele quando cita as frases condenatórias que saem dos lábios de Nancy Harmon."

Mas que droga. Rob sentia um medo doentio na boca do estômago sempre que se lembrava dessa argumentação. Aquele cretino teria dado qualquer coisa para fazer dele cúmplice de assassinato. Tudo porque ele estivera na sala do velho Harmon no dia em que a esposa dele telefonou para dizer que o aquecedor tinha pifado. Rob em geral não se oferecia para fazer serviços para Harmon. Mas ele nunca vira um aparelho, motor ou peça de equipamento que não pudesse consertar, e ele soubera, por uns rapazes, da gata que aquele chato horroroso tinha como esposa.

Essa informação intrigante o fizera se oferecer para o serviço. No começo, Harmon rejeitara sua oferta, mas depois, como não podia pagar pelo homem da manutenção, ele concordara. Disse que não queria que a esposa levasse as crianças para um hotel. Que foi o que ela sugerira.

Assim, Rob conseguira. Tudo o que os rapazes disseram sobre Nancy Harmon era verdade. Ela era mesmo uma gata. Mas ela certamente não parecia saber disso. Era meio hesitante... insegura de si. Ele chegara por volta do meio-dia. Ela havia acabado de alimentar os dois filhos... um menino e uma menina. Crianças sossegadas, as duas. Ela não prestou muita atenção nele, só agradeceu por aparecer e voltou-se para os filhos.

Ele percebeu que a única maneira de atrair-lhe a atenção era através das crianças e começou a conversar com elas. Sempre foi fácil para Rob ser encantador. Ele também gostava de mulheres mais velhas. Não que esta fosse muito mais velha. Mas ele aprendera, da época em que tinha 16 anos e transava com a mulher do vizinho, que se você for legal com os filhos de uma mulher, ela acha que você é ótimo e toda a culpa escoa pelo ralo. Cara, Rob podia escrever um livro sobre toda a racionalização de complexo de mãe.

Minutos depois, ele tinha as crianças rindo e Nancy também ria, e depois ele convidou o garotinho para ser seu ajudante no conserto da calefação. Como esperava, a menininha pediu para ir também, e depois Nancy disse que ia junto para se certificar de que eles não iam atrapalhar. Não havia muita coisa errada com o aquecedor — só um filtro entupido —. mas ele disse que precisava de uma peça e que ia pegar no trabalho, mas voltaria e terminaria o serviço.

Ele agiu rápido no primeiro dia. Não havia sentido em aborrecer o velho Harmon. Foi direto à sala dele. Harmon pareceu irritado e preocupado abrindo a porta, mas quando viu Rob, deu um sorriso largo e aliviado. "Já? Você deve ser um mago. Ou não conseguiu dar um jeito?"

Rob disse: "Vou dar. Mas precisa de uma peça nova, senhor, que será um prazer comprar. É uma daqueles coisinhas que, se o senhor chamar um técnico, eles fazem o maior estardalhaço. Posso comprar a peça por alguns dólares. É um prazer fazer isso."

Harmon caiu nessa, é claro. Provavelmente feliz por poupar o dinheiro. E Rob voltou um dia depois e no dia seguinte a este. Harmon o alertou de que a esposa era muito nervosa e descansava muito e que ele fizesse a gentileza de ficar longe dela. Mas Rob não viu nenhuma atitude nervosa nela. Tímida, talvez, e assustada. Ele conseguiu que ela falasse. Ela disse a ele que tivera um colapso nervoso depois que a mãe morreu. "Acho que fiquei terrivelmente deprimida", disse ela. "Mas tenho certeza de que vou melhorar. Até parei de tomar meu remédio. Meu marido não percebeu isso. Provavelmente ia se aborrecer. Mas me sinto melhor sem ele."

Rob lhe disse que ela era linda, como quem investiga as possibilidades. Ele começara a desconfiar de que, com ela, podia ser moleza. Era óbvio que estava morta de tédio com o velho Harmon e ficando inquieta. Ele disse que talvez devesse sair mais. Ela disse: "Meu marido não acredita em companhia. Ele acha que no final do dia ele não precisa ver mais ninguém — não depois de todos os alunos com quem ele discutiu."

Foi aí que ele viu que ia tentar tomar certas liberdades com ela.

Rob tinha um álibi perfeito para aquela manhã em que as crianças Harmon desapareceram. Ele estivera numa aula com apenas seis alunos. Mas o promotor lhe disse que, se ele pudesse encontrar um fragmento que fosse de evidência que o ajudasse acusar Rob de cumplicidade, seria um prazer fazer isso. Rob contratara um advogado. Muito assustado, ele não queria que o promotor esmiuçasse sua vida e descobrisse sobre a época em que fora citado em um processo de paternidade em Cooperstown. O advogado lhe disse para assumir a atitude de que ele era o aluno respeitoso de um professor eminente; ficara ansioso para fazer um favor para ele; tentara ficar longe da esposa dele, mas ela o ficava seguindo por toda parte. Que ele não levou a sério quando ela falou de as crianças ficarem sufocadas. Na verdade, achava que ela era só nervosa e doente, como o professor o havia alertado.

Mas no banco das testemunhas, não saiu desse jeito. "Você se sentiu atraído por esta jovem?", perguntou o promotor tranqüilamente.

Rob olhou para Nancy na mesa da defesa, ao lado do advogado, fitando-o com olhos vazios, sem ver nada. "Não penso nestes termos, senhor", respondeu ele. "Para mim, a Sra. Harmon era a esposa de um professor que eu admirava muito. Eu simplesmente queria consertar a calefação, como havia me oferecido para fazer, e voltar para meu quarto. Tinha um trabalho para escrever e, de qualquer modo, uma mulher doente com dois filhos não era para mim." Isso sobre esse refinamento, essa última frase maldita, que o promotor se lançara. Quando o promotor acabou com ele, Rob estava ensopado de suor.

Sim, ele tinha ouvido dizer que a esposa do professor era bonita... Não, ele não se ofereceu para ajudar... Sim, ficou curioso para dar uma olhada nela... Sim, tinha avançado para ela...

"Mas parou por aí!", gritou Rob do banco. "Com duas mil alunas no campus, eu não precisava ter problemas." Depois admitiu que tinha dito a Nancy que ela o excitava e que gostaria de dar uns amassos nela.

O promotor olhou para ele com desdém, depois leu o registro de quando Rob foi espancado por um marido irado — o episódio em Cooperstown, quando ele foi citado no processo de paternidade.

O promotor disse: "Este paquerador não foi um voluntário inocente. Ele foi àquela casa para avaliar uma linda jovem de quem ouvira falar. Tentou seduzi-la. Foi muito mais bem-sucedido do que imaginava. Senhoras e senhores do júri, **não** estou sugerindo que Rob Legler tenha feito parte do esquema para assassinar os filhos de Nancy Harmon. Pelo menos, **não** no sentido jurídico. Mas estou convencido de que moralmente, perante Deus, ele é culpado. Fez com que a jovem crédula e ingrata soubesse que ele daria — e aqui uso as palavras dele — 'uns amassos nela' se ela estivesse livre, e ela escolheu uma liberdade que é repugnante para os instintos fundamentais da humanidade. Ela assassinou seus filhos para se livrar deles."

Depois que Nancy Harmon foi sentenciada à morte na câmara de gás, o professor Harmon cometeu suicídio. Ele seguiu de carro para a mesma praia onde as crianças haviam sido encontradas e o deixou na beira da água. Prendeu um bilhete no volante dizendo que era tudo culpa dele. Ele devia ter percebido que a esposa era doente. Devia ter tirado os filhos dela. Ele era responsável pelas mortes e pelos atos que ela cometera. "Tentei bancar Deus", escreveu ele. "Eu a amava tanto que pensei que podia curá-la. Pensei que criar os filhos livraria sua mente da tristeza pela morte da mãe. Pensei que o amor e o carinho a curariam, mas estava errado; eu interferi por demais. Perdoe-me, Nancy."

Não houve nenhum rugido de aprovação quando a sentença foi anulada. Aconteceu porque duas mulheres do júri tinham sido ouvidas discutindo o caso em um bar durante o julgamento e dizendo que ela era culpada. Mas na época em que foi solicitado um novo julgamento, Rob tinha se formado, fora convocado, recebera as ordens para o Vietnã e fugira. Sem ele, o promotor público não tinha caso e teve que deixar Nancy ir — mas jurou que ia julgá-la novamente no dia em que pusesse as mãos em Rob.

Com o passar dos anos no Canadá, Rob pensava com freqüência no julgamento. Havia uma coisa que o incomodava em toda a armação. Pensando bem, não achava que Nancy Harmon era assassina. Ela fora como um alvo fácil no tribunal. Harmon certamente não a ajudara em nada, explodindo no banco quando devia estar no meio de um discurso sobre a ótima mãe que ela era.

No Canadá, Rob foi uma espécie de celebridade entre os desertores com quem saiu e falou sobre o caso. Eles perguntaram sobre Nancy, e Rob lhes contou do mulherão que ela era... Sugerindo que ele havia tido um pouco de ação. Ele lhes mostrou os recortes da imprensa sobre o julgamento e as fotos de Nancy.

Ele lhes disse que ela entrara numa grana preta — que se soube no julgamento que os parentes dela haviam lhe deixado 150 mil pratas; que, se ele pudesse encontrá-la, ia dar uma prensa nela e pegar o dinheiro para fugir para a Argentina.

Depois ele conseguiu a oportunidade. Um dos amigos, Jim Ellis, que sabia sobre sua ligação com o caso Harmon, entrou clandestinamente no país para visitar a mãe, que tinha câncer terminal. A mãe morava em Boston, mas como o FBI estava vigiando a casa na esperança de pegar Jim, ela o encontrou em Cape Cod, em um chalé que alugara no lago Maushop. Ao voltar ao Canadá, Jim estava explodindo de novidades. Ele perguntou a Rob quanto valia saber onde Nancy Harmon podia ser encontrada.

Rob ficou cético até que viu a foto que Jimmy tinha conseguido tirar de Nancy na praia. Não havia como confundi-la. Jim havia investigado um pouco também. As informações batiam. Ele descobriu que o marido dela era muito próspero. Rapidamente eles bolaram um negócio. Rob procuraria Nancy. Diria que se ela lhe desse 50 mil dólares, ele fugiria para a Argentina e nunca mais ela teria de se preocupar que ele testemunhasse contra ela. Rob raciocinou que ela ia topar, em especial agora que estava casada de novo e tinha mais filhos. Era um preço baixo para ela saber que um dia não seria arrastada para a Califórnia de novo para se sentar num tribunal.

Jim queria vinte por cento redondos como a parte dele. Enquanto Rob estivesse vendo Nancy, Jim arranjaria passaportes e identidades falsas do Canadá e reservas para a Argentina. Havia um preço para estas coisas.

Eles prepararam o plano com cuidado. Rob conseguiu alugar um carro de um garoto americano que estava estudando no Canadá. Ele raspou a barba e cortou o cabelo para a viagem. Jim o alertou de que, no minuto em que parecesse um hippie, todos os malditos policiais daquelas porcarias de cidades da Nova Inglaterra estariam prontos para localizá-lo.

Rob decidiu ir direto de carro a partir de Halifax. Quanto menos tempo passasse nos Estados Unidos, menor seria a possibilidade de ser pego. Programou sua chegada ao Cape para o início da manhã. Jim descobrira que o marido de Nancy sempre abria a imobiliária por volta das nove e meia. Ele chegava em casa lá pelas dez. Jim tinha feito um mapa da rua para ele, incluindo aquela entrada de carros pelo bosque. Ele podia esconder o carro ali.

Estava ficando sem gasolina quando chegou ao Cape. Foi por isso que parou em Hyannis para reabastecer. Jim lhe dissera que, mesmo na baixa temporada, havia muitos turistas por ali. Era menos provável que ele fosse identificado.

Em todo o caminho, ficara nervoso, tentando decidir se devia propor seu acordo a Nancy e ao marido juntos. Ele devia saber que ela recebera uma grana preta. Mas e se o cara chamasse a polícia? Rob seria condenado por deserção e chantagem. Não, era melhor falar diretamente com Nancy. Ela ainda devia se lembrar de estar sentada à mesa da defesa.

O frentista do posto de gasolina foi prestativo. Verificou tudo, limpou o pára-brisa, calibrou os pneus sem ser solicitado. Era por isso que Rob estava de guarda baixa. Quando estava pagando a conta, o frentista perguntou se ele ia pescar. Foi aí que ele tagarelou que na verdade ia caçar um pouco — ia a Adams Port para ver uma ex-namorada que podia não ficar feliz em vê-lo. Depois, xingando por sua tagarelice, ele escapou, parando em um restaurante próximo para tomar o café-da-manhã.

Entrou em Adams Port às 9h45. Seguindo devagar, analisando o mapa que Jim desenhara para ele, Rob entendeu qual era o traçado das ruas. Mesmo assim, quase errou a estrada de terra que levava ao bosque atrás da propriedade de Nancy. Ele percebeu isso depois de reduzir para deixar que uma perua Ford velha saísse da estrada. Dando ré, ele entrou na estrada de terra, estacionou o carro e começou a andar para a porta dos fundos da casa de Nancy. Foi quando ela saiu correndo como uma louca, gritando o nome deles. Peter, Lisa, aquelas eram as crianças mortas. Ele a seguiu pelo bosque até o lago e viu quando ela se atirou na água. Estava prestes a ir atrás dela quando Nancy se arrastou e caiu na praia. Ele sabia que ela estava olhando na direção dele. Não tinha certeza se ela o vira, mas entendeu que tinha de sair dali. Ele não sabia o que estava acontecendo, mas não queria se envolver.

De volta ao carro, Rob esfriou a cabeça. Talvez estivesse bêbada. Se ainda estava gritando os nomes das crianças mortas, era provável que pulasse de alegria com a possibilidade de saber que não teria que se preocupar com um novo julgamento. Ele decidiu ficar em um hotel de Adams Port e procurá-la novamente no dia seguinte.

No hotel, Rob de imediato foi para a cama e dormiu. Acordou à tarde e ligou a televisão para ver o noticiário. A tela entrou em foco a tempo de ver uma foto dele mesmo e uma voz que o descrevia como a testemunha desaparecida do caso Harmon. Num torpor, Rob ouviu o locutor recapitular o desaparecimento das crianças Eldredge. Pela primeira vez na vida ele se viu numa armadilha. Agora que tinha raspado a barba e cortado o cabelo, sua aparência era exatamente a da foto.

Se Nancy Eldredge realmente matara a nova família, quem acreditaria que ele não tinha nada a ver com isso? Deve ter acontecido pouco antes de ele chegar ali. Rob pensou na velha picape Ford que tinha dado ré da estrada de terra pouco antes de ele entrar. Placa de Massachusetts, os primeiros números eram 8-6... Um cara pesadão ao volante.

Mas ele não podia contar isso, nem se fosse pego. Não podia admitir que estava na casa dos Eldredge naquela manhã. Quem acreditaria nele se dissesse a verdade? O instinto de autopreservação de Rob Legler lhe disse para sair de Cape Cod, e era evidente que ele não podia ir em um Dodge vermelho procurado por toda a polícia.

Ele fez as malas e saiu pela porta dos fundos do hotel. Um fusquinha estava estacionado na baia ao lado do Dodge. Pela janela, ele percebeu o casal que o deixara ali. Eles haviam se registrado no hotel pouco antes de ele ligar a TV no noticiário. Se ele estava avaliando bem, era provável que eles ficassem ali por algumas horas. Ninguém mais estava lá fora enfrentando o granizo e o vento.

Rob abriu o capô do Volks, conectou alguns fios e deu a partida. Usou a Route 6A para a ponte. Com alguma sorte, em meia hora estaria fora do Cape.

Seis minutos depois, ultrapassou um sinal vermelho. Trinta segundos depois, olhou o retrovisor e viu uma luz vermelha piscante refletida ali. Estava sendo perseguido por um carro da polícia. Por um momento pensou em se render; depois a necessidade de fugir de problemas o dominou. Enquanto dobrava uma esquina, Rob abriu a porta do carro, travou o acelerador com a mala e pulou. Estava desaparecendo na região do bosque atrás das imponentes casas coloniais quando o carro da polícia, a sirene agora aos berros, perseguiu o Volkswagen que tombava pela estrada em declive.

# 19 _____

QUANDO COMEÇOU A CORRER escada abaixo, Michael tinha certeza de que o Sr. Parrish o pegaria. Mas depois ouviu o baque terrível que indicava que o Sr. Parrish tinha caído da escada. Michael entendeu que se quisesse escapar do Sr. Parrish, não devia fazer nenhum barulho. Ele se lembrou da vez em que a mamãe tirara os carpetes da casa. "Agora, até que coloquem o carpete novo, vocês têm que brincar de um jogo novo", dissera ela. "O nome do jogo é andar civilizado."

Michael e Missy tinham feito o jogo do andar civilizado pelo canto da escada, ao lado do corrimão, na ponta dos pés. Eles ficaram tão bons nisso que costumavam descer de mansinho e assustar um ao outro. Agora, andando da mesma forma leve, Michael desceu sem fazer barulho para o primeiro andar. Ele ouviu o Sr. Parrish chamar o nome dele, dizendo que ia encontrá-lo.

Ele sabia que tinha que sair desta casa. Tinha que correr para a rua ventosa até a longa estrada que levava ao Wiggins' Market. Michael não decidira se ia entrar no Wiggins' Market ou atravessar a Route 6A e ir para a estrada que levava à casa dele. Ele tinha que encontrar o pai e trazê-lo aqui para pegar a Missy.

Ontem, no Wiggins' Market, ele dissera ao pai que não gostava do Sr. Parrish. Agora tinha medo dele. Michael sentiu o medo sufocante enquanto corria pela casa escura. O Sr. Parrish era um homem mau. Foi por isso que amarrou os dois e os escondeu no closet. Foi por isso que Missy ficou tão assustada que não conseguiu acordar. Michael tentara tocar em Missy no closet. Ele sabia que ela estava assustada. Mas ele não conseguiu libertar suas mãos. De dentro do closet, pôde ouvir a voz da tia Dorothy. Mas ela não havia perguntado por eles. Estava bem ali e não adivinhou que eles também estavam. Ele ficou com muita raiva da tia Dorothy por não saber que eles precisavam dela. Ela devia ter adivinhado.

Estava ficando muito escuro. Era difícil enxergar. Na base da escada, Michael olhou em volta, confuso, depois disparou para os fundos da casa. Estava na cozinha. A porta de saída ficava bem ali. Ele correu e estendeu a mão para a maçaneta. Estava prestes a abrir quando ouviu passos se aproximando. O Sr. Parrish. Seus joelhos tremeram. Se a porta emperrasse, o Sr. Parrish o pegaria. Rapidamente, sem fazer barulho, Michael correu para a outra porta da cozinha, do outro lado do pequeno saguão, e entrou na salinha dos fundos. Ouviu o Sr. Parrish travar a porta da cozinha com o ferrolho. Ouviu-o arrastar a cadeira até ela. A luz da cozinha foi acesa, e Michael se encolheu atrás do pesado sofá estofado. Agachando-se em silêncio, ele mal cabia no espaço entre o sofá e a parede. O pó do sofá fez cócegas no seu nariz. Teve vontade de espirrar. A luz da cozinha e do corredor se apagou de repente e a casa ficou escura como breu. Ele ouviu o Sr. Parrish andar e riscar um fósforo.

Um momento depois, houve um brilho avermelhado na cozinha e ele ouviu o Sr. Parrish chamar: "Está tudo bem, Michael. Não estou mais com raiva. Venha, Michael. Vou levar você para casa, para a sua mãe."

## 20

JOHN KRAGOPOULOS PRETENDIA ir de carro direto até Nova York depois de deixar Dorothy, mas uma leve depressão, combinada com uma dor de cabeça sobre o nariz, fez com que a viagem de cinco horas de repente ficasse insuportável. Claro que era o clima apavorante, e a profunda tristeza que Dorothy sofria não pôde deixar de contagiá-lo. Ela lhe mostrara a foto que levava na carteira, e a idéia de que aquelas lindas crianças fossem vítimas de um crime deixou-lhe uma sensação de náusea na boca do estômago.

Mas que idéia inacreditável, refletiu ele. Ainda havia a possibilidade de as crianças simplesmente estarem andando por aí. Como alguém machucaria uma criança? John pensou em seus próprios gêmeos de 28 anos — um, piloto da Força Aérea; o outro, arquiteto. Ótimos jovens, os dois. Motivo de orgulho para um pai. Eles estariam vivos muito depois que ele e a mãe tivessem partido. Faziam parte da imortalidade de John. Imagine quando eles eram bebês, se ele os perdesse...

Estava dirigindo pela Route 6A em direção ao continente. À frente, à direita de um restaurante acolhedor, havia um retorno da estrada. A placa iluminada, THE STAGEWAY, era um sinal bem-vindo na penumbra da tarde. Por instinto, John saiu da estrada e entrou no estacionamento. Percebeu que eram quase três da tarde e tinha consumido exatamente uma xícara de café e uma fatia de torrada o dia todo. O clima ruim o estava fazendo dirigir para Nova York tão devagar que foi obrigado a parar para o almoço.

Percebeu que era de bom senso fazer uma refeição decente antes de tentar a viagem. E era de bom senso nos negócios tentar entabular uma conversa com o pessoal de um restaurante grande da região que ele estava avaliando. Ele podia conseguir alguma informação útil sobre os negócios na região.

Aprovando subconscientemente o interior rústico do restaurante, seguiu diretamente para o bar. Não havia fregueses ali, mas isso não era incomum antes das cinco horas numa cidade como aquela. Ele pediu um Chivas Regal com gelo; depois, quando o atendente trouxe a bebida, perguntou se seria possível comer alguma coisa.

— Sem problemas. — O atendente tinha uns 40 anos, com costeletas exageradas. John gostou de sua resposta oblíqua e do modo como mantinha o balcão imaculadamente limpo. Apareceu um cardápio. — Se preferir carne, o lombo de boi especial está ótimo — propôs ele. — Tecnicamente, a cozinha fica fechada entre as duas e meia e as cinco, mas se não se importar em comer aqui...

— Perfeito. — Rapidamente John pediu um bife e uma salada verde. O Chivas aqueceu seu corpo, e parte de sua depressão começou a passar. — Você prepara um ótimo drinque — disse ele.

O bartender sorriu.

— É preciso um verdadeiro talento para juntar scotch com gelo — disse ele.

— Sou do ramo. Você sabe o que quero dizer. — John decidiu ser franco. — Estou pensando em comprar o lugar chamado A Sentinela para montar um restaurante. Qual é sua opinião pessoal?

O homem assentiu enfaticamente.

— Pode dar certo. Um restaurante de classe, quero dizer. Aqui é bom, mas temos uma clientela de classe média. Famílias com crianças. Senhoras aposentadas. Turistas indo para a praia ou para os antiquários. Estamos bem na via principal. Mas um lugar como A Sentinela, dando para a baía... Um bom ambiente, uma boa bebida, um bom cardápio... Você pode cobrar alto e faturar bem.

— É a sensação que tenho.

— É claro que, se eu fosse você, ia me livrar daquele sujeitinho esquisito do último andar.

— Estava pensando nisso. Ele é um tanto estranho.

— Bom, ele costuma vir aqui nessa época do ano para pescar. Sei disso porque Ray Eldredge falou no assunto. Um cara legal, o Ray Eldredge. Ele é o cara dos filhos desaparecidos.

— Já soube.

— Uma pena. Crianças lindas. Ray e a Sra. Eldredge as trazem aqui de vez em quando. Uma gata, a mulher do Ray. Mas como estava dizendo, não sou daqui. Eu era bartender em Nova York há dez anos, e fui embora depois da terceira vez em que fui assaltado quando voltava tarde para casa. Mas sempre fui louco por pescaria. E foi assim que acabei aqui. E um dia, só faz algumas semanas, aquele grandalhão entrou e pediu uma bebida. Sei quem ele é, eu o vi por aí. É o inquilino da Sentinela. Bem, procuro fazer todo mundo relaxar, desabafar um pouco, então puxei conversa, perguntei se ele estava aqui em setembro, quando o mar estava fervilhando. Sabe o que o idiota disse?

John esperou.

— Nada. Neca. Zero. Ele não tinha a menor idéia. — O bartender colocou as mãos nos quadris. — Dá para acreditar que alguém que vem pescar no Cape durante sete anos não saiba o que eu quis dizer?

A carne chegou. Com gratidão, John começou a comer. Estava deliciosa. Enquanto o sabor da carne de primeira se combinava com o ardor da bebida, ele relaxou perceptivelmente e começou a pensar na Sentinela.

O que o bartender lhe dissera tinha confirmado sua decisão de fazer uma oferta pela casa.

Ele havia gostado de andar por lá. A sensação de desconforto que ele experimentara só começara no último andar. Era isso. Ele ficara pouco à vontade no apartamento do inquilino, o Sr. Parrish.

John terminou a refeição pensativo e pagou a conta distraído, lembrando-se de deixar uma gorjeta generosa para o atendente. Erguendo a gola, ele saiu do restaurante e foi para o carro. Agora devia virar à direita e seguir para o continente. Mas por alguns minutos ele ficou sentado no carro, sem se decidir. Qual era o problema dele? Estava agindo como um tolo. Que impulso louco o estava obrigando a voltar para A Sentinela?

Courtney Parrish estava nervoso. John estava há muitos anos no ramo de contato com o público para não reconhecer a tensão nervosa quando a via. Aquele homem estava preocupado... desesperadamente ansioso para que eles fossem embora. Por quê? Havia um cheiro de suor pesado e ácido nele... o cheiro do medo... mas medo do quê? E aquele telescópio. Parrish tinha corrido para mudar a direção para a qual estava apontando quando John se curvou para olhar. John se lembrou de que, quando recolocou o telescópio mais ou menos na posição anterior, conseguiu ver carros da polícia em volta da casa dos Eldredge. Um telescópio incrivelmente potente. Se estivesse dirigido para janelas de casas da cidade, qualquer um que olhasse se tornaria um tarado... um voyeur.

Seria possível que Courtney Parrish estivesse olhando pelo telescópio quando as crianças desapareceram dos fundos da casa... que ele tivesse visto alguma coisa? Mas, em caso afirmativo, é claro que ele teria ligado para a polícia.

O carro estava frio. John girou a ignição e esperou que o motor esquentasse antes de ligar o aquecedor. Pegou um charuto e o acendeu com o pequeno isqueiro de ouro Dunhill que fora presente de aniversário de sua esposa: um presente extravagante e muito apreciado. Ele tragou o charuto até que a ponta começasse a brilhar.

Ele era um tolo. Uma desconfiança boba. O que se podia fazer? Telefonar para a polícia e dizer que um homem parecia nervoso e que eles deviam dar uma olhada? E, se o fizessem, Courtney Parrish provavelmente diria: "Eu estava prestes a tomar meu banho e não gostei de ser avisado em tão pouco tempo de que viria alguém aqui." Perfeitamente razoável. As pessoas que moram sozinhas tendem a adquirir hábitos metódicos.

Sozinhas. Essa era a palavra. Era o que estava aborrecendo John. Ele se surpreendera de não ver outra pessoa no apartamento. Alguma coisa lhe dera a certeza de que Courtney Parrish não estava sozinho.

Era o brinquedo de criança na banheira. Era isso. Aquele patinho de borracha inacreditável. E o cheiro forte de talco infantil...

Uma suspeita tão absurda que seria impossível verbalizar tomou forma na mente de John Kragopoulos.

Ele sabia o que devia fazer. Decidido, pegou o isqueiro no bolso e o escondeu no porta-luvas do carro.

Ele voltaria à Sentinela sem ser anunciado. Quando Courtney Parrish atendesse à porta, ele pediria permissão para procurar pelo valioso isqueiro, dizendo que devia tê-lo deixado cair em algum lugar da casa durante a visita. Era um pedido plausível. Isso lhe daria a oportunidade de olhar com cuidado e eliminar o que provavelmente era uma suspeita ridícula... ou ter algo mais do que suspeita para discutir com a polícia.

Depois de se decidir, John pisou no acelerador e virou o carro para a esquerda, entrando na Route 6A, voltando ao centro de Adams Port e à estrada sinuosa e íngreme que levava à Sentinela. Visões de um patinho de borracha desbotado e descascando pulavam em sua cabeça enquanto ele seguia através do granizo que caía sem parar.

# 21

ELA NÃO QUERIA SE LEMBRAR... só havia dor na volta ao passado. Certa vez, quando era uma garotinha, Nancy estendera a mão e puxara a panela do fogão pela alça. Ainda podia se lembrar da forte torrente de sopa de tomate de um vermelho vivo que se despejara em cima dela. Havia ficado no hospital por semanas e ainda tinha cicatrizes desbotadas no peito.

Carl perguntara a ela sobre aquelas cicatrizes... afagara-as... "Pobre garotinha, pobre garotinha..." Ele gostava que ela lhe contasse sobre o incidente repetidas vezes. "Doeu muito?", ele perguntava.

Lembrar-se era assim... dor... somente dor... Não se lembre... Esqueça... esqueça... Não queira se lembrar...

Mas as perguntas, insistentes, de longe... perguntando sobre Carl... sobre mamãe... Lisa... Peter... a voz dela. Ela estava falando. Respondendo.

— *Não*, por favor, não quero falar nisso.

— Mas precisa. Você tem que nos ajudar. — Aquela voz insistente. Por quê? Por quê? — Por que você estava com medo de Carl, Nancy?

Ela precisava responder, se ao menos parassem com as perguntas.

Ela ouvia a própria voz, distante, procurando pela resposta... era como ver a si mesma em uma peça... as cenas estavam tomando forma.

Mamãe... o jantar... a última vez em que viu mamãe... O rosto da mãe tão perturbado, olhando para ela, para Carl. "Onde comprou esse vestido, Nancy?" Ela sabia que a mãe não gostara dele.

O vestido branco de lã. "Carl me ajudou a escolher. Gosta?"

"Não é meio... infantil?"

A mãe saiu para dar um telefonema. Era para o Dr. Miles: Nancy esperava que sim. Ela queria que a mãe fosse feliz... Talvez ela devesse ir para casa com a mãe... Talvez ela parasse de se sentir tão cansada. Ela disse isso a Carl?

Carl saiu da mesa. "Com licença, querida"... A mãe volta antes dele...

"Nancy, precisamos conversar amanhã... quando estivermos sozinhas. Vou buscar você para o café-da-manhã."

Carl volta...

E a mãe... dando-lhe beijos no rosto... "Boa-noite, meu bem. Nos veremos às oito." A mãe entrando no carro alugado, acenando um adeus, dirigindo para a estrada...

Carl a levou de carro para a universidade. "Acho que sua mãe ainda não me aprova, querida."

O telefonema... "Houve um acidente... A barra de direção..."

Carl... "Eu vou cuidar de você, minha garotinha..."

O enterro...

O casamento. Uma noiva devia usar branco. Ela ia usar o vestido de lã branca. Ela faria isso só para ir ao cartório.

Mas não podia vestir... uma mancha de graxa no ombro... "Carl, onde foi que manchei o vestido de graxa? Só o usei no jantar com a minha mãe."

"Vou mandar lavar para você." A mão dele, familiar, dando um tapinha no ombro dela...

— Não... Não... Não...

A voz.

— O que quer dizer, Nancy?

— Não sei... Não tenho certeza... Tenho medo...

— Medo de Carl?

— Não... ele é bom para mim... Estou tão cansada... sempre tão cansada... Tome seu remédio.... Você precisa dele... As crianças... Peter e Lisa... Tudo bem por enquanto... Carl era bom... Por favor, Carl, feche a porta... Carl, por favor, não gosto disso... Não toque em mim desse jeito... Me deixe em paz...

— Por que ele devia deixá-la em paz, Nancy?

— *Não*... Não quero falar nisso...

— Carl era bom com as crianças?

— Ele as fazia obedecer... Ele queria que elas fossem boas... Ele assustava Peter... e Lisa... "Então a minha garotinha tem uma garotinha"...

— Era o que Carl dizia?

— Sim. Ele não toca mais em mim... Estou feliz... Mas não devo tomar o remédio depois do jantar... Fico cansada demais... tem alguma coisa errada... Preciso ir embora... As crianças... Ir embora...

— De Carl?

— Eu não sou doente... Carl é doente...

— Como ele é doente, Nancy?

— Não sei...

— Nancy, fale-nos do dia em que Lisa e Peter desapareceram. Do que você se lembra?

— Carl está irritado.

— Por que ele está irritado?

— O remédio... na noite passada... Ele me viu jogar fora... pegou mais... me obrigou a tomar... tão cansada... tão sonolenta... Lisa está chorando... Carl... com ela... preciso levantar... preciso vê-la... Chorando tanto... Carl bateu nela... disse que ela fez xixi na cama... Tenho que levá-la embora... de manhã... Meu aniversário... Vou dizer a Carl...

— Dizer o que a ele?

— Ele sabe... está começando a saber...

— Saber o quê, Nancy?

— Vou embora... levar as crianças... tenho que ir embora...

— Você não amava Carl, não é, Nancy?

— Eu devia. Ele disse: "Feliz aniversário"... Lisa tão quieta. Prometi a ela que íamos fazer um bolo de aniversário para mim... Ela, Peter e eu... Íamos sair e comprar velas e chocolate para o bolo. O dia está com tempo ruim... começa a chover... Lisa pode ficar doente...

— Carl foi para a universidade nesse dia?

— Sim... Ele telefonou... eu disse que íamos fazer compras... que depois disso eu ia parar no médico para que ele examinasse Lisa... Fiquei preocupada. Disse que ia ao shopping às onze... depois do programa de televisão das crianças...

— O que Carl falou quando você lhe disse que estava preocupada com Lisa?

— Ele falou que o dia estava ruim... se era para Lisa pegar uma gripe, ele não queria que ela saísse. Eu disse que ia deixá-los no carro enquanto eu fazia as compras... Eles queriam ajudar com o bolo... estavam animados com o meu aniversário. Eles nunca se divertiam... Eu não devia ter deixado que Carl fosse tão rigoroso... a culpa é minha... Vou falar com o médico... tenho que perguntar ao médico... sobre Lisa... sobre mim... Por que estou sempre tão cansada?... Por que eu tomo tanto remédio?... Rob fazia meus filhos rirem... Eles ficavam tão diferentes perto dele... As crianças devem rir...

— Você se apaixonou por Rob, Nancy?

— Não... eu estava presa... tinha que sair... queria conversar com alguém... Depois Rob disse o que eu disse a ele... Não foi assim... não foi assim... — A voz dela começou a se elevar.

A voz de Lendon tornou-se mais tranqüilizadora.

— Então, você levou às crianças à loja às onze.

— Sim. Está chovendo... Eu disse às crianças para ficarem no carro... elas disseram que iam ficar... Umas crianças tão boazinhas... Eu as deixei no banco traseiro do carro... Nunca mais as vi... nunca... nunca mais...

— Nancy, havia muitos carros estacionados?

— Não... Ninguém que eu conhecesse na loja... tanto vento... frio... não tinha muita gente...

— Quanto tempo você ficou na loja?

— Pouco... Dez minutos... Não achava as velas de aniversário... Dez minutos... Corri de volta ao carro... As crianças tinham sumido. — A voz dela ficou incrédula.

— O que você fez, Nancy?

— Não sei o que fazer... Talvez elas tenham ido comprar um presente para mim... Peter tinha dinheiro... eles não iam sair, a não ser que... eles eram tão bons... isso podia fazê-los sair... Talvez na outra loja... A loja de descontos... Procura na loja de doces... Olha na loja de presentes... Loja de ferragens... Olha de novo no carro... Olha, procure pelas crianças...

— Você perguntou a alguém se tinha visto as crianças?

— *Não*... Carl não deve saber. Ele vai ficar com raiva... Não quero que ele castigue as crianças...

— Então você olhou todas as lojas no shopping center.

— Talvez eles estejam procurando por mim... tenham se perdido... Olha no estacionamento... talvez eles não estejam encontrando o carro... Comece a chamá-los... Assustada... Alguém disse vamos ligar para a polícia e para o seu marido... Eu disse: "Não ligue para o meu marido, por favor"... A mulher disse isso no julgamento... Eu não queria que Carl ficasse com raiva...

— Por que você não contou isso no seu julgamento?

— Não devia... O advogado disse: Não diga que Carl ficava com raiva... Não diga que vocês discutiram ao telefone... Lisa não fez xixi na cama... A cama seca...

— O que quer dizer?

— A cama seca... Por que Carl a machuca? Por quê? Não importa... nada importa... As crianças sumiram... Michael... Missy... Missy se foi também... Procure por elas... Tem que procurar por elas...

— Fale-nos de procurar por Michael e Missy hoje de manhã.

— Tenho que olhar no lago... Talvez eles tenham ido para o lago... Talvez tenham caído na água... Rápido, rápido... Há alguma coisa no lago... Alguma coisa debaixo da água...

— O que está debaixo da água, Nancy?

— Vermelho, uma coisa vermelha... Talvez seja a luva de Missy... Eu preciso pegar... A água está tão fria... Não consigo alcançar... Não é uma luva... Está fria, fria...

— O que você faz?

— As crianças não estão ali... Saia... Saia da água... Tão frio... A praia... Eu caio na praia... Ele estava ali... no bosque... me olhando... Eu o vi ali... me olhando...

Jed Coffin levantou-se. Ray saltou para a frente convulsivamente. Lendon ergueu a mão, alertando-os.

— Quem estava ali, Nancy? — perguntou ele. — Nos diga quem estava ali.

— Um homem... Eu o conheço... era... era... Rob Legler... Rob Legler estava ali... estava escondido... olhando para mim. — A voz dela se elevou, caiu; suas pálpebras se abriram de repente, depois se fecharam devagar. Ray empalideceu. Dorothy respirou fundo. Então os dois casos estavam relacionados.

— O amital está perdendo efeito. Ela logo vai voltar a si. — Lendon levantou-se com uma careta pela cãibra que sentia nos joelhos e nas coxas.

— Doutor, posso falar com o senhor e com Jonathan lá fora? — A voz de Jed era neutra.

— Fique com ela, Ray — aconselhou Lendon. — Ela deve despertar a qualquer minuto.

Na sala de jantar, Jed encarou Lendon e Jonathan.

— Doutor, quanto tempo mais isso vai durar? — A expressão de Jed era impenetrável.

— Não acho que devamos tentar interrogar Nancy por mais tempo.

— De tudo isso, o que conseguimos além do fato de que ela sentia medo do marido, que obviamente não o amava e que Rob Legler pode ter estado no lago esta manhã?

Lendon o encarou.

— Meu bom Deus! Não ouviu o que a garota disse? Não entendeu o que estava ouvindo?

— Só sei que não ouvi nada que me ajudasse a aliviar minha responsabilidade por encontrar as crianças Eldredge. Ouvi Nancy Eldredge se culpar pela morte da mãe, o que é natural em um caso em que uma visita à faculdade da filha resulta na morte de um dos pais. A reação dela ao primeiro marido parece bem histérica. Ela está tentando culpá-lo pelo fato de ela querer deixar o casamento.

— Que impressão teve de Carl Harmon? — perguntou Lendon em voz baixa.

— Um desses caras possessivos que se casa com uma mulher mais nova e quer ter o controle. Que diabos, ele não é diferente de metade dos homens do Cape. Posso citar exemplos de homens que não deixam a mulher lidar com nem um centavo, a não ser para a comida. Conheço um que não deixa a esposa dirigir o carro da família. Outro nunca deixa a mulher sair à noite sozinha. Esse tipo de coisa é comum no mundo todo. Talvez seja por isso que todo o bando de feministas tenha do que se queixar.

— Chefe, sabe o que é pedofilia? — perguntou Lendon em voz baixa.

Jonathan assentiu.

— Era no que eu estava pensando — disse ele.

Lendon não deu a Jed tempo para responder.

— Em termos leigos, é um desvio que envolve atividade sexual de qualquer tipo com uma criança que ainda não chegou à puberdade.

— Onde é que isso se encaixa aqui?

— Não encaixa... Não completamente. Nancy tinha 18 anos quando se casou. Mas sua aparência podia ser bem infantil. Chefe, há algum modo de verificar a ficha de Carl Harmon?

Jed Coffin olhou incrédulo. Quando respondeu, sua voz tremia de raiva reprimida. Apontou para o granizo que batia um *staccato* constante e agudo na janela.

— Doutor — disse ele —, está vendo e ouvindo isso? Lá fora há duas crianças que ou estão andando por aí e congelando, ou estão nas mãos de Deus sabe que tipo de demente e talvez estejam mortas. Mas meu trabalho é encontrá-las, e encontrá-las já. Temos uma boa pista para tudo isso. É que tanto Nancy Eldredge como um frentista apontaram para Rob Legler, um sujeitinho bem detestável, nos arredores. Esse é o tipo de informação que posso usar de alguma maneira. — Sua voz imprimia um desdém às palavras. — E o senhor está me pedindo para desperdiçar meu tempo verificando um morto para provar alguma teoria torta.

O telefone tocou. Bernie Mills, que estivera parado sem atrapalhar na sala, correu para atender. Agora estavam falando de verificar o passado do primeiro marido de Nancy. Espere só até ele contar isso a Jean. Ele pegou o fone rapidamente. Era da delegacia.

— Coloque o chefe na linha. — O sargento Poler, da recepção, cuspiu as palavras.

Lendon e Jonathan observaram enquanto o chefe Coffin ouvia, depois fazia perguntas rápidas e curtas.

— Há quanto tempo? Onde?

Os homens se olharam em silêncio. Lendon percebeu que estava rezando — uma oração desarticulada e fervorosa para que o recado não fosse de más notícias sobre as crianças.

Jed bateu o fone no gancho e se virou para eles.

— Rob Legler se registrou em um hotel de Adams Port lá pelas dez e meia da manhã. Um carro que acreditamos que tenha roubado acabou de colidir na Route 6A, mas ele escapou. Provavelmente estava indo para o continente. Estamos fazendo uma busca completa. Tenho que dar orientações. Vou deixar o policial Mills aqui. Vamos pegar esse fujão do Legler e, quando conseguirmos, acho que teremos a resposta ao que aconteceu com as crianças.

Depois que a porta se fechou nas costas do chefe, Lendon falou com Jonathan:

— O que concluiu disso até agora? — perguntou ele.

Lendon esperou um longo minuto antes de responder. *Estou chegando muito perto*, pensou ele. *Vejo Priscilla ao telefone... ligando para mim. Carl Harmon sai da mesa depois dela. Onde ele foi? Ele ouviu o que Priscilla me disse? Nancy disse que o vestido estava manchado de graxa. Ela estaria dizendo que acreditava que a mão de Carl estivesse manchada e que quando ele pôs a mão no ombro dela seu vestido ficou sujo? Ela não estava tentando dizer que acreditava que Carl Harmon podia ter feito alguma coisa no carro de Priscilla?* Lendon viu um padrão de violência se formando. Mas que propósito teria saber disso com Carl Harmon no túmulo?

Jonathan disse:

— Se sua mente está seguindo a mesma direção da minha, voltar ao desaparecimento das crianças Harmon não vai nos ajudar. Você está pensando no pai.

— Sim — disse Lendon.

— E, como ele está morto, voltamo-nos para Rob Legler, o homem que foi mandado à casa por Carl Harmon e aquele cujo testemunho condenou Nancy. Qual é o grau de precisão da declaração dela sobre esta manhã, sob o efeito do amital?

Lendon sacudiu a cabeça.

— Não posso dizer ao certo. Sabe-se que, mesmo sob sedação, alguns pacientes podem resistir e reprimir. Mas acredito que ela viu... ou acredita ter visto... Rob Legler no lago Maushop.

Jonathan disse:

— E às dez e meia desta manhã ele se registrou em um hotel *sozinho*.

Lendon assentiu.

Sem falar novamente, os dois homens se viraram e olharam pela janela, na direção do lago.

## 22

O NOTICIÁRIO DAS CINCO na televisão deu pouca cobertura à crise no Oriente Médio, à espiral inflacionária, à ameaça de greve dos operários do setor automobilístico ou à péssima situação do time dos New England Patriots. A maior parte da meia hora de transmissão foi dedicada ao desaparecimento das crianças Eldredge e a trechos de filmes antigos do sensacional caso Harmon.

As fotos que apareceram no *Cape Cod Community News* foram reproduzidas. Uma atenção especial foi dada a uma imagem de Rob Legler saindo do tribunal de San Francisco com o professor Carl Harmon depois da condenação de Nancy Harmon por homicídio premeditado de seus filhos.

A voz do locutor era especialmente urgente quando a foto foi exibida. "Houve uma identificação positiva da presença de Rob Legler nos arredores da casa dos Eldredge esta manhã. Se você acredita ter visto este homem, por favor, ligue para este número especial imediatamente: KL cinco-três-oito-zero-zero. A vida das crianças Eldredge pode estar em perigo. Se acredita ter alguma informação que possa levar à pessoa ou às pessoas responsáveis pelo desaparecimento das crianças, insistimos que telefone para o número: KL cinco-três-oito-zero-zero. Vamos repetir: KL cinco-três-oito-zero-zero."

Os Winggins tinham fechado a loja quando a energia acabou e foram para casa a tempo de ver o noticiário em sua televisão a bateria.

— Esse sujeito parece familiar — disse a Sra. Wiggins.

— Você diz isso de todo mundo — zombou o marido.

— Não... não é verdade. Tem alguma coisa nele... O modo como se curva para a frente... Certamente é uma coisa que chama a atenção.

Jack Wiggins olhou para a esposa.

— Estava justamente pensando que ele é o tipo que pode virar a cabeça de uma mulher.

— Ele? Ah, você quer dizer o jovem. Estou falando do outro... O professor.

Jack olhou a esposa com condescendência.

— É por isso que digo que as mulheres não dão boas testemunhas e nunca devem se sentar no júri. Ninguém está falando do professor Harmon. Ele cometeu suicídio. Estão falando do Legler.

A Sra. Wiggins mordeu o lábio.

— Entendi. Bom, acho que tem razão. É só que... Ah, bom...

Seu marido levantou-se com dificuldade.

— Quando o jantar vai ficar pronto?

— Ah, não demora muito. Mas é difícil se preocupar com a comida quando se pensa em Michael e Missy... Deus sabe onde... A gente fica pensando que só quer ajudá-los. Não ligo para o que dizem de Nancy Eldredge. Ela nunca foi muito à loja, mas quando ia, gostava de vê-la com os filhos. Ela era muito gentil com eles... Nunca se aborrecia, nunca ralhava, como faz metade das mães jovens. Isso torna nossos pequenos aborrecimentos tão sem importância, sabe?

— Que pequenos aborrecimentos nós temos? — O tom de voz dele revelava uma forte desconfiança.

— Bom... — A Sra. Wiggins mordeu o lábio. Eles haviam tido muitos problemas com furtos no verão anterior. Jack ficava irritado até por discutir o assunto. Era por isso que, o dia todo, não parecera valer a pena contar que ela estava absolutamente certa de que o Sr. Parrish roubara uma lata grande de talco infantil da prateleira pela manhã.

# 23 _____

O NOTICIÁRIO DAS CINCO ESTAVA passando em uma modesta casa na quadra da igreja de São Francisco Xavier em Hyannis Port. A família de Patrick Keeney ia começar a jantar. Todos os olhos estavam grudados no pequeno aparelho de TV portátil na sala de jantar pequena e abarrotada.

Ellen Keeney sacudiu a cabeça quando a foto de Michael e Missy Eldredge encheu a tela. Involuntariamente, olhou para os próprios filhos — Neil e Jimmy, Deirdre e Kit... Um... dois... três... quatro. Sempre que os levava à praia, era assim. Ela nunca parava de contar cabeças. *Meu Deus, não deixe que nada aconteça a eles, por favor.* Esta era sua oração.

Ellen era comungante diária na igreja de São Francisco e em geral ia à mesma missa da Sra. Rose Kennedy. Ela se lembrava dos dias em que o presidente e depois Bobby foram mortos, quando a Sra. Kennedy ia à igreja, seu rosto tomado de tristeza, mas ainda serena e composta. Ellen nunca a observava durante a missa. Coitada, era direito dela ter alguma privacidade em algum lugar. Em geral a Sra. Kennedy dava um sorriso, assentia e às vezes dizia "Bom-dia", se por acaso se cruzassem depois da missa em algum momento. *Como é que ela agüenta?*, perguntava-se Ellen. *Como pode agüentar?* Agora estava pensando a mesma coisa. *Como Nancy Eldredge agüenta?... Em especial quando se pensa no que aconteceu com ela antes.*

O locutor falava do artigo no *Community News* — disse que a polícia estava tentando identificar seu autor. As palavras do locutor mal foram registradas na mente de Ellen enquanto ela concluía que Nancy não era responsável pela morte dos filhos. Simplesmente não era possível. Nenhuma mãe assassinava sua carne e seu sangue. Ela viu Pat olhando para ela e deu um sorriso fraco para ele — uma comunicação que dizia: *Somos abençoados, meu querido; somos abençoados.*

— Ele engordou pra caramba — disse Neil.

Sobressaltada, Ellen olhou para o filho mais velho. Aos sete anos, Neil a preocupava. Ele era tão ousado, tão imprevisível. Tinha o cabelo escuro de Pat e os olhos cinza. Era baixo para a idade, e ela sabia que isso o preocupava um pouco, mas de vez em quando o tranquilizava. "O papai é alto e seu tio John é alto, e um dia você vai ser alto também." Ainda assim, Neil parecia mais novo do que qualquer outro na turma dele na escola.

— Quem engordou, meu bem? — perguntou ela distraída, virando a cabeça para olhar a televisão.

— Aquele homem, aquele da frente. Ele é o mesmo que me deu o dólar para colocar a carta dele no correio no mês passado. Lembra, mostrei a você o bilhete que ele escreveu quando você não acreditou em mim.

Ellen e Pat encararam a tela. Estavam olhando a foto de Rob Legler seguindo o professor Carl Harmon para fora do tribunal.

— Neil, você está enganado. Esse homem morreu há muito tempo.

Neil ficou triste.

— Está vendo? Você nunca acredita em mim. Mas quando ficou me perguntando onde foi que consegui o dólar e lhe contei, você não acreditou em mim também. Ele está muito mais gordo e o cabelo sumiu, mas quando saiu da picape, tinha essa cabeça meio enterrada no pescoço, como esse homem aí.

O âncora dizia: "... qualquer informação, independente da importância que você possa julgar ter."

Pat fechou a carranca.

— Por que você está tão chateado, papai? — perguntou Deirdre, de cinco anos, com ansiedade.

A cara dele se desanuviou. Neil tinha dito "como esse homem aí".

— Acho que é porque às vezes percebo como é difícil criar um bando como vocês — respondeu ele, passando a mão no cabelo crespo da filha, grato por ela estar ali para receber seu carinho. — Desligue a televisão, Neil — ordenou ele ao filho. — Agora, crianças, antes de agradecermos a Deus, vamos rezar para que Ele mande as crianças Eldredge para casa em segurança.

Em toda a oração que se seguiu, a mente de Ellen estava distante. Tinham pedido qualquer informação, independente de sua relevância, e Neil recebera aquela gorjeta de um dólar para pegar uma carta na posta-restante. Ela se lembrava do dia com exatidão: quarta-feira, quatro semanas antes. Ela se lembrava da data porque havia uma reunião de pais na escola naquela noite e ela estava aborrecida porque Neil se atrasara para o jantar naquele mesmo dia. De repente, se lembrou de uma coisa.

— Neil, por acaso você ainda tem o bilhete que o homem lhe deu para mostrar nos correios? — perguntou ela. — Não vi você colocar no cofrinho junto com o dólar?

— Sim, guardei.

— Pode pegar, por favor? — pediu ela. — Quero ver o nome nele.

Pat a estava analisando. Quando Neil saiu, ele falou por sobre a cabeça das outras crianças.

— Não me diga que você está dando confiança...

Ela de repente se sentiu ridícula.

— Ah, coma seu jantar, querido. Acho que só estou nervosa. É que gente como eu sempre desperdiça o tempo da polícia. Kit, me passe seu prato. Vou cortar um pedaço do bolo de carne do jeito que você gosta.

## 24

TUDO ESTAVA SAINDO MUITO MAL. Nada funcionava como esperava. Aquela idiota aparecendo aqui e depois a garotinha; ter que esperar até que ela acordasse, se ela acordasse, para que pudesse sentir suas formas se contorcendo e o empurrando. Depois o garoto escapulindo dele, escondendo-se. Ele tinha de encontrá-lo.

Courtney teve a impressão de que tudo estava escapando dele. A sensação de prazer e expectativa cedia lugar à decepção e ao ressentimento. Ele não estava mais transpirando, porém o suor pesado ainda estava em suas roupas e as deixava desagradavelmente pegajosas no corpo. Pensou nos olhos grandes e azuis do menino, tão parecidos com os de Nancy, que não lhe deram nenhum prazer pela expectativa.

O menino era uma ameaça. Se fugisse, seria o fim. É melhor terminar com os dois; é melhor fazer o que fizera antes. Num instante podia eliminar a ameaça — lacrar o ar, de modo que a boca, as narinas e os olhos seriam cobertos — e depois, em algumas horas — quando a maré estivesse alta — atirar os corpos nas ondas. Ninguém ia saber. Depois ficaria seguro aqui, sem nada que o ameaçasse; aqui, para desfrutar seu momento.

E amanhã à noite, com toda a ameaça eliminada, iria para o continente de carro. Sairia quando anoitecesse, e provavelmente uma garotinha estaria andando sozinha e ele diria a ela que era o novo professor... Sempre funcionava.

Tomada a decisão, sentiu-se melhor. Agora só o que queria era terminar com esta ameaça. Aquela criança, recalcitrante como Nancy... encrenqueira... ingrata... querendo fugir... ele ia encontrá-la. Ia amarrá-la e depois pegar os sacos finos de plástico. Ele tratou de conseguir uma marca que Nancy pudesse ter comprado no Lowerys'. Depois ia selar o menino primeiro, porque ele era tão problemático. E depois... a garotinha... também de imediato. Era perigoso demais até ficar com ela.

A sensação de perigo sempre melhorava sua percepção. Como da última vez. Ele não sabia realmente o que ia fazer quando saiu do campus e foi ao shopping. Só sabia que não podia deixar que Nancy levasse Lisa ao médico. Chegou antes dela, estacionou naquela pequena rua de fornecedores entre o shopping e o campus. Ele a viu entrar no estacionamento, falar com as crianças, ir à loja. Nenhum carro por perto. Nem uma alma por ali. Rapidamente, ele soube o que fazer.

As crianças foram obedientes. Elas ficaram sobressalta-das e assustadas quando ele abriu a porta do carro, mas quando ele disse: "Agora, rápido... Vamos fazer um jogo para o aniversário da mamãe", eles entraram na mala do carro e num instante tudo estava acabado. Os sacos plásticos cobriram suas cabeças, foram bem amarrados, as mãos seguran-do-os até que pararam de se retorcer; a mala do carro se fechou e ele voltou à universidade. Menos de oito minutos tinham se passado; os alunos envolvidos em seus experimentos de laboratório, ninguém sentiu falta dele. Uma sala cheia de gente para testemunhar sua presença, se necessário. Naquela noite, simplesmente levou o carro até a praia e largou os corpos no mar. Oportunidade aproveitada, o perigo evitado naquele dia sete anos antes, e agora o perigo a ser evitado de novo.

— Michael, venha, Michael. Vou levar você para casa.

Ele ainda estava na cozinha. Segurando o lampião no alto, olhando em volta. Não havia lugar para se esconder ali. Todos os armários eram altos. Mas encontrar o menino nesta casa escura e cavernosa com apenas um lampião seria infinitamente difícil. Levaria horas, e por onde começaria?

— Michael, não quer ir para casa ver a sua mãe? — gritou novamente. — Ela não foi para Deus... Ela está bem... Ela quer ver você.

Será que devia tentar o terceiro andar e procurar nos quartos primeiro?, perguntou-se.

Mas o menino provavelmente teria tentado sair por esta porta. Ele era esperto. Não teria ficado lá em cima. Teria ido para a porta da frente? Era melhor olhar lá.

Partiu pelo pequeno corredor, depois pensou na salinha dos fundos. Se o menino tivesse tentado a cozinha e o ouviu chegando, ali seria um lugar lógico para se esconder.

Foi até a soleira da porta da salinha. Era respiração o que estava ouvindo ou só o vento sussurrando pela casa? Deu alguns passos, entrou na sala, segurou o lampião de querosene acima da cabeça. Seus olhos disparavam, distinguindo os objetos com a luz. Estava prestes a se virar quando girou o lampião para a direita.

Olhando fixamente o que via, soltou um gemido histérico e agudo. A sombra de uma pequena figura amarfanhada atrás do sofá estava silhuetada como um coelho gigante agachado no chão de carvalho.

— Peguei você, Michael — gritou ele, ainda rindo. — E desta vez você não vai escapar.

## 25

O BLECAUTE COMEÇOU QUANDO John Kragopoulos saiu da Route 6A e entrou na estrada que levava à Sentinela. Por instinto, apertou o botão para acender os faróis de milha. A visibilidade ainda era fraca e ele dirigia com cuidado, sentindo a estrada escorregadia sob os pneus e a tendência do carro a derrapar nas curvas.

Perguntou-se como podia justificar andar por aquela casa cavernosa procurando por um pequeno isqueiro. O Sr. Parrish podia sugerir, com razão, que ele voltasse de manhã ou se ofereceria para procurar para ele e entregar a Dorothy, se encontrasse.

John decidiu que iria à porta com sua lanterna. Ia dizer que tinha certeza absoluta de que se lembrava de ter ouvido alguma coisa cair quando se curvara sobre o telescópio. Ele sabia que alguma coisa tinha caído de seu bolso. Isso era razoável. De qualquer modo, era no apartamento do quarto andar que queria olhar.

A subida íngreme para A Sentinela era traiçoeira. Na última curva da estrada, a frente do carro oscilou precariamente. John agarrou o volante enquanto os pneus se firmavam e se mantiveram na estrada. Ele ficou a centímetros de virar no aterro íngreme e certamente teria batido no enorme carvalho a menos de dois metros de distância. Alguns minutos depois, pegou a entrada de carros dos fundos da Sentinela, rejeitando a alternativa de estacionar no abrigo relativo da garagem, como Dorothy fizera. Ele queria ser despreocupado e ostensivo. Suas maneiras deviam ser meio irritadas, como se também estivesse perturbado com a inconveniência. Diria que descobrira a perda no jantar e, como ainda estava na cidade, decidira vir direto em vez de telefonar.

Assim que saiu do carro, foi apanhado pela escuridão agourenta da grande casa. Até o último andar estava totalmente às escuras. Certamente o homem tinha lampiões de emergência. Os apagões no Cape durante tempestades fortes não eram incomuns. Imagine que Parrish tivesse dormido e não percebera que a eletricidade acabara. Suponha — só suponha — que houvesse uma mulher de visita ali, que não queria ser vista. Era a primeira vez que essa possibilidade ocorria a John.

Sentindo-se tolo, ele se debateu se devia voltar para o carro. O granizo ferroava sua pele. O vento açoitava sob a gola e as mangas do casaco, e a satisfação quente do jantar tinha desaparecido. Ele se deu conta de que estava gelado e cansado, e que tinha uma longa e difícil viagem pela frente. Ia parecer um idiota com essa história inventada. Por que não pensou na possibilidade de Parrish ter uma visita que ficaria constrangida em ser vista? John concluiu que era um bobo, um idiota supersticioso. Ele e Dorothy provavelmente haviam interrompido um encontro e mais nada. Ele ia sair dali antes que causasse ainda mais aborrecimentos.

Estava prestes a se colocar atrás do volante quando viu um brilho de luz vindo da janela esquerda da cozinha. Movia-se com rapidez, e alguns segundos depois ele pôde ver o brilho refletido na janela à direita da porta da cozinha. Alguém estava andando pela cozinha com um lampião.

Cuidadosamente, John fechou a porta do carro para que não fizesse barulho, só um clique suave. Pegando a lanterna, ele andou pela entrada de carros até a janela da cozinha e espiou. A luz agora parecia vir do corredor. Mentalmente, repassou o desenho da casa. A escada dos fundos tinha acesso por aquele corredor, assim como a salinha dos fundos, do outro lado. Abrigando-se no telheiro, andou rapidamente pelos fundos da casa, passando pela porta da cozinha, até as janelas que deviam ser daquela salinha. O brilho do lampião estava fraco, mas, enquanto olhava, ficou mais forte. Ele se encolheu quando o lampião ficou visível, erguido no alto por um braço esticado. Agora podia ver Courtney Parrish. O homem procurava por alguma coisa... pelo quê? Estava chamando alguém. John se esforçou para entender.

O vento abafava o som, mas ele pôde distinguir o nome "Michael". Parrish estava chamando "Michael".

John sentiu um frio gélido percorrer sua espinha. Ele tinha razão. O homem era um louco e aquelas crianças estavam em algum lugar da casa. O lampião que ele balançava em círculos era um farolete que iluminava a solidez do corpanzil de Parrish. John se sentiu totalmente incapaz, ciente de que não era páreo para este homem. Só tinha a lanterna como arma. Devia pedir ajuda? Seria possível que Michael estivesse fugindo de Parrish? Mas se Parrish o encontrasse, mesmo alguns minutos podiam fazer diferença.

Então, diante de seus olhos apavorados, John viu Parrish girar o lampião para a direita e estender a mão para trás do sofá, para puxar uma pequena figura que tentava desesperadamente escapar. Parrish baixou o lampião e, enquanto John observava, fechou as mãos na garganta da criança.

Agindo por instinto como fizera quando estava em combate na Segunda Guerra Mundial, John recuou o braço e golpeou a janela com a lanterna. Enquanto Courtney Parrish girava o corpo, John estendeu a mão e forçou a tranca. Com uma força sobre-humana, ele empurrou a janela e pulou o peitoril para a sala. Largou a lanterna enquanto seus pés atingiam chão, e Parrish a pegou. Ainda com o lampião na mão esquerda, Parrish ergueu a lanterna na mão direita, segurando-a acima da cabeça, como uma arma.

Não havia como escapar do golpe inevitável. Mas John se abaixou e deu a volta para ganhar tempo. Gritando, "Fuja, Michael... Peça ajuda", ele conseguiu derrubar o lampião de querosene da mão de Parrish um instante antes da lanterna se chocar em seu crânio.

# 26 _____

Fora um erro roubar o carro. Fora um ato de simples pânico estúpido. Rob acreditava em fazer sua própria sorte. Hoje cometera todas as asneiras possíveis. Quando viu Nancy no lago, devia ter saído no ato de Cape Cod. Em vez disso, imaginou que ela podia estar em uma viagem, ou chapada, e só o que ele precisava fazer era ficar por um dia, depois procurar por ela e o marido e pegar uma grana. Agora ele revelara sua presença na vizinhança e as crianças dela estavam desaparecidas.

Rob nunca acreditara realmente que Nancy tivesse alguma coisa a ver com o desaparecimento dos outros filhos; mas agora, quem poderia dizer? Talvez ela fosse descontrolada, como Harmon costumava dizer a ele.

Quando saiu do carro, Rob tinha ido para o sul, na direção da via expressa que passava pelo centro do Cape. Mas quando um carro da polícia passou por ele, voltou. Mesmo que conseguisse uma carona, era provável que tivesse um bloqueio na estrada. Seria melhor ir para a baía. Havia muitos chalés de veraneio fechados por lá. Ele arrombaria um deles e se esconderia por um tempo. A maioria provavelmente tinha alguns mantimentos que restavam na cozinha, e ele estava ficando com fome. Depois, em alguns dias, quando a poeira baixasse, ele acharia um caminhão, se esconderia na traseira e sairia dessa ilha maldita.

Ele tremeu ao correr pelas estradas estreitas e escuras. Uma coisa boa: neste clima de merda, não havia nenhum risco de esbarrar em alguém que estivessem a pé. E também quase não havia carros na estrada.

Mas quando pegou uma curva na estrada, mal teve tempo para pular em uma moita de arbustos espessa para não ser revelado pelos faróis de milha de um carro que se aproximava. Com a respiração pesada, esperou até que o carro passasse voando por ele. Meu Deus. Outro carro da polícia. O lugar estava infestado deles. Tinha que sair da estrada. Agora não podia haver mais de algumas quadras até a praia. Andando rapidamente pela fila de arbustos, Rob foi para o aglomerado de árvores que margeavam os fundos das casas perto dele. Era menos provável ser localizado ali, mesmo que levasse mais tempo para atravessar os quintais.

E se Nancy o tivesse visto no lago? Ela havia olhado na direção dele... Mas talvez não. Ele negaria que estivera ali, é claro. Ela não estava em condições de ser testemunha ocular dele. Ninguém estava. Tinha certeza disso. A não ser... o motorista daquela picape. Provavelmente um cara daqui... Placa de Massachusetts... Era 8X642... Como ele se lembrava disso? O contrário... Ah, claro... 2468. Ele percebera isso. Se Rob fosse pego, ele podia contar aos tiras sobre a picape. Ele a vira voltando da estrada de terra que levava à propriedade dos Eldredge, e deve ter sido mais ou menos na hora em que as crianças desapareceram.

Mas, por outro lado, e se a picape fosse um carro de entregas comum de que eles já soubessem? Rob não vira o motorista direito; na verdade, não prestara atenção... Só percebera que era um cara gordo e grandalhão. Se ele fosse pego e contasse da picape, só ia se condenar por ter estado na casa dos Eldredge.

Não, ele não ia admitir nada se o pegassem. Diria que pretendia visitar Nancy. Depois tinha visto a foto dela naquele artigo sobre o caso Harmon e decidira se afastar. Tomada a decisão, Rob se sentiu melhor. Agora, se conseguisse ao menos chegar à praia e entrar em um chalé...

Ele correu, com o cuidado de ficar bem nas sombras das árvores escuras; escorregou um pouco e recuperou o equilíbrio. O granizo deixava toda a droga do lugar escorregadio como um rinque de patinação. Mas não podia ir muito mais longe do que isso. Tinha que entrar em algum lugar, ou acabaria sendo visto por alguém. Colocando-se contra as árvores com crostas de gelo, tentou andar mais rápido.

## 27

THURSTON GIVENS ESTAVA SENTADO em silêncio em sua varanda envidraçada dos fundos, olhando a tempestade na escuridão próxima. Octogenário, ele sempre achava os temporais da região fascinantes e sabia que provavelmente não os veria por muito mais tempo. O rádio estava muito baixo e ele só ouvira o último boletim sobre as crianças Eldredge. Ainda não havia vestígio delas.

Agora Thurston estava sentado, olhando para os fundos, perguntando-se por que os jovens tinham que passar por tanta miséria. Seu filho único morrera aos 5 anos de gripe durante a epidemia de 1917.

Corretor de imóveis aposentado, Thurston conhecia bem Ray Eldredge. Ele fora amigo do pai de Ray e também do avô. Ray era um bom sujeito, o tipo de homem de que o

Cape precisava. Era dinâmico e era um bom corretor — não do tipo que queria ganhar dinheiro rápido e as pessoas que se danassem. Uma pena que alguma coisa tivesse acontecido com os filhinhos dele. Nancy certamente não parecia a Thurston o tipo de pessoa que mata alguém. Tinha de haver uma resposta melhor do que essa.

Estava vagando numa espécie de devaneio quando um movimento no bosque chamou sua atenção. Ele se curvou para a frente e espiou pelos olhos semicerrados. Havia alguém ali, correndo, obviamente tentando ficar escondido. Ninguém em seu juízo perfeito ficava naquele bosque com um clima desses, e havia muitos roubos no Cape, particularmente nesta região.

Thurston pegou o telefone. Discou para a delegacia. O chefe Coffin era um velho amigo, mas é claro que o chefe Coffin não estaria lá. Ele devia estar fora, cuidando do caso Eldredge.

O telefone foi atendido e uma voz disse:

— "Delegacia de Polícia de Adams Port. Sargento Poler..."

Thurston interrompeu com impaciência.

— Aqui é Thurston Givens — disse rispidamente. — Quero informar que há alguém rondando no bosque atrás da minha casa e ele está indo para a baía.

## 28

NANCY ESTAVA SENTADA ereta no sofá, olhando fixamente para a frente. Ray tinha acendido a lareira e as chamas começavam a lamber as achas grossas de lenha e pedaços quebrados de galhos. Ontem. Foi só ontem, não foi? Ela e Michael tinham limpado o gramado da frente.

"Esta é a última vez que teremos este trabalho neste inverno, Mike", dissera ela. "Acho que quase todas as folhas já caíram."

Ele assentiu, sóbrio. Depois, sem que ela pedisse, ele pegou os galhos e ramos grossos da pilha de folhas. "É bom para a lareira", comentou. Ele largou o ancinho de ferro, que caiu com os dentes de metal virados para cima. Mas quando Missy veio correndo da entrada de carros, ele rapidamente virou o ancinho. Com um meio sorriso de quem se desculpa, falou: "O papai sempre diz que é perigoso deixar o ancinho assim."

Ele era tão protetor com Missy. Ele era tão bom. Era tão parecido com Ray. Nancy percebeu que, de uma forma inacreditável, era reconfortante saber que Mike estava com Missy. Se houvesse algum jeito de fazer isso, ele ia cuidar dela. Era um garotinho cheio de iniciativa. Se estivessem em algum lugar lá fora, ele se certificaria de que o casaco dela estivesse fechado. Ia tentar cobri-la. Ele ia...

— Ah, meu Deus.

Ela não sabia que estava falando em voz alta até que Ray olhou sobressaltado. Ele estava sentado na poltrona grande. Seu rosto parecia tenso. Parecia saber que ela não queria que a tocasse agora — que ela precisava assimilar e avaliar. Ela não devia acreditar que as crianças estavam mortas. Não podiam estar mortas. Mas deviam ser encontradas antes que alguma coisa acontecesse.

Dorothy também a observava. Dorothy, que de repente parecia tão mais velha e tão perdida. Ela recebia o afeto e o amor de Dorothy sem dar nada em troca. Ela mantivera

Dorothy perto de si, deixando claro que Dorothy não era uma intrusa em seu círculo familiar fechado. Mas não queria que as crianças tivessem uma avó emprestada. Não queria que ninguém substituísse sua mãe.

*Tenho sido egoísta*, pensou Nancy. *Não tenho visto as necessidades dela.* Que estranho que isso agora ficasse tão claro. Que estranho até pensar nisso agora, quando estavam sentados ali, tão indefesos, tão impotentes. Mas por que havia alguma coisa tranqüilizadora nela? Por que ela estava sentindo um fiapo de esperança? Qual era a origem de seu conforto?

— Rob Legler — disse ela. — Eu lhe contei que vi Rob Legler no lago esta manhã.

— Sim — disse Ray.

— É possível que eu estivesse sonhando? O médico acha que o vi... que estava dizendo a verdade?

Ray pensou no assunto, depois decidiu ser franco. Havia uma força em Nancy, uma retidão que não toleraria evasivas.

— Acredito que o médico acha que você fez um relato preciso do que aconteceu. E Nancy, você deve saber que Rob Legler realmente foi visto perto daqui ontem à noite e esta manhã.

— Rob Legler não machucaria as crianças. — A voz de Nancy era categórica. Essa era sua zona de conforto. — Se ele as pegou, se foi ele o responsável, ele não as machucaria. Sei disso.

Lendon voltou para a sala, Jonathan atrás dele, bem perto. Jonathan percebeu que inadvertidamente olhou primeiro para Dorothy. As mãos dela estavam nos bolsos. Ele desconfiava de que estavam de punhos fechados. Ela sempre lhe parecera uma pessoa extraordinariamente eficiente e auto-suficiente — características que ele admirava sem achá-las necessariamente cativantes numa mulher.

Quando Jonathan foi sincero consigo mesmo, percebeu que uma parte essencial de seu relacionamento com Emily tinha sido sua consciência constante da necessidade que ela possuía dele. Ela nunca conseguia abrir a tampa de um vidro, nem encontrar as chaves do carro, nem equilibrar sua conta bancária. Ele se aquecera em seu papel de quem resolve, age e conserta, constante, capaz e complacentemente. Precisara dos últimos dois anos para perceber que nunca entendera a força de aço da feminilidade essencial de Emily; o modo como ela aceitara o veredito do médico com um olhar compreensivo para ele; o modo como nunca admitira sentir dor. Agora, vendo Dorothy com sua angústia muda tão tangível, ele se angustiava por uma forma de reconfortá-la.

Ele foi distraído por uma pergunta de Ray.

— De quem era o telefonema?

— O chefe Coffin saiu — disse Jonathan evasivamente.

— Está tudo bem. Nancy sabe que Rob Legler foi visto aqui perto.

— Foi por isso que o chefe Coffin saiu. Legler foi perseguido e abandonou um carro que roubara três quilômetros abaixo na 6A. Mas não se preocupe, ele não vai longe, a pé, com este tempo.

— Como se sente, Nancy? — Lendon a analisou de perto. Ela estava mais composta do que ele esperava.

— Estou bem. Eu falei muito de Carl, não foi?

— Sim.

— Havia uma coisa que eu estava tentando me lembrar; uma coisa importante que queria contar a você.

Lendon não alterou o tom de voz.

— Por várias vezes você disse: "Eu não acredito... Não acredito..." Sabe por que disse isso?

Nancy sacudiu a cabeça.

— Não. — Ela se levantou e foi inquieta até a janela. — Está tão escuro, seria difícil encontrar alguma coisa ou alguém agora.

O movimento era desejável. Ela queria tentar clarear a mente para poder pensar. Baixou os olhos, percebendo pela primeira vez que ainda estava usando o roupão atoalhado.

— Vou trocar de roupa — disse ela. — Quero me vestir.

— Você quer...? — Dorothy mordeu o lábio. Estava prestes a perguntar a Nancy se queria que ela subisse também.

— Está tudo bem — disse Nancy com delicadeza. Iam encontrar Rob Legler. Ela tinha certeza disso. Quando o achassem, ela queria estar vestida. Queria ir até ele onde quer que o encontrassem. Queria dizer: "Rob, eu sei que você não machucaria as crianças. Quer dinheiro? Do que você precisa? Me diga onde elas estão e lhe darei qualquer coisa."

No quarto, ela tirou o roupão mecanicamente, foi até o armário e o abriu. Por um instante, sentiu-se tonta e apoiou a testa na parede fria. A porta do quarto se abriu e ouviu Ray gritar: "Nancy!" A voz dele estava sobressaltada enquanto corria, virava-a para ele e colocava os braços em torno dela. Ela sentiu o calor áspero de sua camisa esporte na pele e a intensidade crescente de seu aperto.

— Estou bem — disse ela. — De verdade...

— Nancy! — Ele ergueu a cabeça da esposa. Sua boca se fechou na dela. Enquanto seus lábios se separavam, ela arqueou o corpo contra o dele.

Era assim desde o início. Desde aquela primeira noite, quando ele viera jantar e depois deram uma caminhada pelo lago. Fazia muito frio, ela tremia. O casaco dele estava aberto, ele riu e a puxou para si, fechando o casaco em torno dela para que também a cobrisse. Quando a beijou naquela primeira vez, foi inevitável. Ela o queria tanto, desde o início. Não como Carl... pobre Carl... ela só o tolerava; sentia-se culpada por não o querer e, depois que Lisa nasceu, ele nunca mais... não como marido... Será que ele sentira a repulsa dela? Ela sempre se perguntara isso. Fazia parte de sua culpa.

— Eu te amo. — Ela não sabia que tinha dito isso. As palavras ditas com tanta freqüência, palavras que murmurava a Ray até dormindo.

— Eu também te amo. Ah, Nancy. Deve ser tão difícil para você. Pensei que entendia, mas eu não...

— Ray, vamos conseguir recuperar as crianças? — A voz dela estremeceu, e ela sentiu todo o corpo começar a tremer.

Os braços dele a apertaram.

— Não sei, querida. Não sei. Mas lembre-se de uma coisa: não importa o que acontecer, temos um ao outro. Nada pode mudar isso. Eles vieram procurar o Chefe. Estão com Rob Legler na delegacia. O Dr. Miles foi com eles, e Jonathan e eu também vamos.

— Quero ir. Talvez ele me diga...

— Não. Jonathan tem uma idéia, e acho que pode dar certo. Vamos descobrir. Talvez Rob tenha um cúmplice que está com as crianças. Se ele a vir, pode se recusar a dizer alguma coisa, em especial se esteve envolvido na última vez.

— Ray... — Nancy ouviu o desespero na própria voz.

— Querida, agüente. Só mais um pouco. Tome um banho quente e se vista. Dorothy vai ficar com você. Ela está fazendo um sanduíche para você agora. Vou voltar assim que puder. — Por um momento ele enterrou os lábios nos cabelos de Nancy, depois se afastou.

Mecanicamente, Nancy foi para o banheiro do quarto. Abriu a água do chuveiro, depois olhou no espelho acima da pia. A face que viu olhando-a era pálida e cansada, os olhos pesados e enevoados. Foi assim que ficou em todos aqueles anos com Carl, como as fotos dela naquele artigo.

Rapidamente se virou e, prendendo o cabelo num rabo, entrou no boxe. O jato quente atingiu seu corpo, num ataque constante à tensão rígida de seus músculos. Era bom. Grata, ergueu a cabeça para o jato de água. Um chuveiro era tão limpo.

Ela nunca, jamais voltou a tomar banho de banheira — não desde os anos com Carl. Ela não pensava mais naqueles banhos. Uma flecha vívida de recordações disparou enquanto a água batia em seu rosto. A banheira... A insistência de Carl em banhá-la... O modo como a tocava e examinava. Certa vez, quando tentou afastá-lo, ele escorregou e caiu de cara na água. Por um momento, ele ficou tão assustado que não conseguiu se levantar. Quando se ergueu, começou a engrolar, a tremer e tossir. Ficou com tanta raiva... Mas principalmente assustado. Ele ficou apavorado por ter a cara coberta de água.

Era isso. Era isso que ela tentara se lembrar: o medo secreto de água...

Ah, meu Deus. Nancy cambaleou na lateral do boxe. Sentiu a náusea torturar seu estômago e a garganta, tropeçou para fora do chuveiro e começou a vomitar incontrolavelmente.

Os minutos se passaram. Ela pegou as laterais da privada, incapaz de deter as ondas violentas de enjôo. E depois, mesmo quando o vômito finalmente parara, arrepios gelados ainda percorriam seu corpo.

## 29

— RAY, NÃO SE FIE DEMAIS nisso — alertou Jonathan.

Ray o ignorou. Pelo pára-brisa raiado, ele podia ver a delegacia. O brilho dos lampiões a gás lhe davam uma aparência de outro século. Estacionando rapidamente o carro, Ray abriu a porta e disparou pelo macadame para dentro da delegacia. Atrás, ele podia ouvir Jonathan arfando ao tentar acompanhá-lo.

O sargento na recepção ficou surpreso.

— Eu não esperava vê-lo esta noite, Sr. Eldredge. Lamento muito por seus filhos...

Ray assentiu com impaciência.

— Onde estão interrogando Rob Legler?

O sargento ficou alarmado.

— Não pode se meter nisso, Sr. Eldredge.

— Uma ova que não posso — disse Ray tranqüilamente. — Entre e diga ao Chefe que preciso vê-lo agora.

O protesto do sargento morreu em sua garganta. Ele se virou para um policial que vinha pelo corredor.

— Diga ao Chefe que Ray Eldredge quer vê-lo — disse ele.

Ray voltou-se para Jonathan. Com um sorriso fraco, ele disse:

— De repente esta parece uma idéia forçada e louca.

— Não é — responde Jonathan em voz baixa.

Ray olhou pela sala e pela primeira vez percebeu que duas pessoas estavam sentadas em um pequeno banco perto da porta. Eram mais ou menos da mesma idade dele e de Nancy — um casal de boa aparência. Perguntou-se distraidamente o que estavam fazendo ali. O homem parecia constrangido e a mulher, decidida. O que levaria uma pessoa a sair numa noite daquelas? Seria possível que tivessem brigado e ela fosse dar queixa? A idéia era muito estranha. Em algum lugar fora desta sala, fora de todo esse dia inacreditável, as pessoas iam para casa, para suas famílias; preparavam o jantar à luz de velas, diziam às crianças para não terem medo do escuro, faziam amor... brigavam...

Ele percebeu que a mulher o olhava fixamente. Ela começou a se levantar, mas o marido a puxou de volta. Rapidamente, Ray virou-lhe as costas. A última coisa que queria ou precisava no mundo era de solidariedade.

Passos apressados pelo corredor. O chefe Coffin entrou na sala.

— O que é, Ray? Soube de alguma coisa?

Jonathan respondeu:

— Está com Rob Legler aqui?

— Estou. Nós o estamos interrogando. O Dr. Miles está comigo. Legler pediu um advogado. Não quer responder a pergunta nenhuma.

— Foi o que pensei. É por isso que estou aqui. — Num tom de voz baixo, Jonathan delineou seu plano.

O chefe Coffin sacudiu a cabeça.

— Não vai dar certo. Esse cara é frio. De jeito nenhum você vai conseguir que ele assuma que esteve na casa dos Eldredge hoje de manhã.

— Bem, vamos tentar. Não vê como o tempo é importante? Se ele tinha um cúmplice que agora está com as crianças, essa pessoa pode entrar em pânico. Deus sabe o que pode fazer.

— Bem... entrem. Falem com ele. Mas não contem com absolutamente nada. — Com um gesto de cabeça, o Chefe indicou uma sala no meio do corredor. Quando Ray e Jonathan começaram a segui-lo, a mulher se levantou do banco.

— Chefe Coffin. — A voz dela era hesitante. — Posso falar com o senhor um minuto?

O Chefe olhou para ela, avaliando-a.

— É importante?

— Bem, provavelmente não é; só que acho que não teria nenhuma paz a menos que... É uma coisa que o meu menino...

O Chefe perdeu visivelmente o interesse.

— Sente-se aí, senhora. Volto a falar com a senhora assim que puder.

Ellen Keeney sentou-se no banco enquanto via os três homens se afastarem. O sargento na mesa percebeu sua decepção.

— Tem certeza de que não posso ajudá-la, senhora? — perguntou ele.

Mas Ellen não confiava no sargento. Quando ela e Pat chegaram, eles tentaram dizer ao sargento que o filho deles podia saber uma coisa sobre o caso Eldredge. O sargento olhara para eles, aflito: "Senhora, sabe quantos telefonemas recebemos hoje? Desde que a imprensa divulgou este caso, só o que recebemos foi telefonemas. Um idiota de Tucson ligou para dizer que achava ter visto as crianças em um playground do outro lado da rua onde mora esta manhã. De jeito nenhum eles podiam ter chegado lá, mesmo num avião supersônico. Então, sente-se. O chefe vai falar com a senhora quando puder."

Pat disse:

— Ellen, acho que devemos ir para casa. Só estamos atrapalhando aqui.

Ellen sacudiu a cabeça. Ela abriu o livro e pegou o bilhete que o estranho tinha dado a Neil quando o mandara ao correio. Ela prendera o bilhete a seus próprios rabiscos sobre tudo o que Neil dissera a ela. Ela sabia a hora exata em que ele fora buscar a carta. Escrevera cuidadosamente a descrição que ele fizera do homem; suas palavras exatas quando disse que o homem era parecido com a foto na televisão do primeiro marido de Nancy Harmon; o tipo de carro que o homem dirigia — "uma picape bem velha, como a do vovô" — que parecia um Ford. Por fim, Neil dissera que homem tinha uma licença de pesca para Adams Port no pára-brisa.

Ellen estava decidida a ficar sentada ali até que tivesse a oportunidade de contar sua história. Pat parecia tão cansado. Ela afagou a mão dele.

— Agüente comigo, querido — sussurrou ela. — Acho que não é nada importante, mas alguma coisa está me fazendo esperar. O chefe disse que vai falar comigo logo.

A porta para a delegacia se abriu. Entrou um casal de meia-idade. O homem parecia muito aborrecido; a mulher estava visivelmente nervosa. O sargento os recebeu.

— Olá, Sr. Wiggins... Sra. Wiggins. Algum problema?

— Você não vai acreditar — disse Wiggins. — Numa noite dessas, minha esposa quer relatar que alguém afanou uma lata de talco infantil da loja hoje de manhã.

— Talco infantil? — A voz do sargento se elevou de pasmo.

A Sra. Wiggins pareceu mais aborrecida.

— Eu não ligo para a idiotice que parece. Quero falar com o chefe Coffin.

— Ele vai voltar logo. Estas pessoas também estão esperando por ele. Por que não se sentam? — Ele apontou para o banco à direita daquele onde estavam sentados os Keeney.

Eles obedeceram e, enquanto se sentavam, o marido murmurou com raiva:

— Eu ainda não sei por que estamos aqui.

A solidariedade de Ellen a fez se voltar para o casal. Ela pensou que uma conversa talvez ajudasse a outra mulher a superar o nervosismo.

— Também não sabemos exatamente por que estamos aqui — disse ela. — Mas não é uma coisa medonha, o caso dessas crianças desaparecidas...

A 15 metros da recepção da delegacia, Rob Legler encarava os olhos hostis e estreitos de Ray Eldredge. O cara tinha classe, concluiu ele. Nancy certamente se saíra muito melhor desta vez. Aquele Carl Harmon era meio esquisito. O medo deu um nó no estômago de Rob. As crianças Eldredge não haviam sido encontradas. Se alguma coisa acontecesse com elas, eles podiam tentar acusá-lo de algo. Mas ninguém parecia tê-lo visto perto da casa dos Eldredge... Ninguém, exceto aquele gordo que estava na picape. E se o cara fosse um entregador ou coisa assim e tivesse ligado para a polícia? E se ele pudesse identificar Rob, afirmando que estava perto da casa dos Eldredge naquela manhã? Que desculpa ele ia ter para estar lá? Ninguém ia acreditar que ele tinha entrado clandestinamente no país para dar um olá a Nancy.

Mentalmente, Rob procurava por uma história. Nenhuma fazia sentido. Ele simplesmente manteria a boca fechada até que tivesse um advogado — e talvez também depois disso. O cara mais velho estava falando com ele.

— Você se meteu num problema muito sério — dizia Jonathan. — É um desertor que acaba de ser preso. Devo lembrá-lo da punição que a lei reserva aos desertores? Sua situação é ainda mais grave do que a de um homem que saiu do país para evitar a convocação. Você era membro das forças armadas. Independente do que tenha acontecido com as crianças Eldredge ou de seu grau de culpa ou inocência no desaparecimento, você agora está prestes a passar a melhor parte dos próximos dez ou vinte anos na prisão.

— Veremos — murmurou Rob. Mas ele sabia que Jonathan tinha razão. *Meu Deus!*

— Mas é claro que até uma acusação de deserção não é nem de longe tão grave quanto uma acusação de homicídio...

— Nunca matei ninguém — rosnou Rob, pulando da cadeira.

— Sente-se — ordenou o chefe Coffin.

Ray levantou-se e inclinou-se por sobre a mesa até que seus olhos estivessem no mesmo nível dos olhos de Rob.

— Vou explicar as coisas para você — disse ele tranqüilamente. — Acho que você é um canalha. Por uma ninharia, eu mesmo mataria você. Seu testemunho quase colocou minha mulher na câmara de gás há sete anos, e agora você pode saber alguma coisa que pode salvar a vida dos meus filhos, se já não for tarde demais. Agora, olhe aqui, seu vagabundo, e preste atenção. Minha mulher não acredita que você tenha feito ou possa fazer algum mal a nossos filhos. Por acaso respeito essa crença. Mas ela viu você lá hoje de manhã. Então, isso significa que você deve saber alguma coisa sobre o que se passou. Tentar protelar e dizer que nunca foi à nossa casa não vai ajudar. Vamos provar que você esteve lá. Mas se você entrar em acordo conosco agora e recuperarmos as crianças, não vamos dar queixa de seqüestro. E o Sr. Knowles, que por acaso é um dos maiores advogados do país, será seu advogado, para conseguir para você a sentença mais leve possível da acusação de deserção. Ele tem influência... muita... E agora, qual vai ser, seu inútil? Aceita o trato? — As veias saltavam na testa de Ray. Ele avançou até que seus olhos ficaram a centímetros dos olhos de Rob. — Porque, se não aceitar... e se souber de alguma coisa... e se eu descobrir que você podia ter nos ajudado a recuperar as crianças e não fez nada... Não me importo com a cadeia onde vão te enfiar... Vou te pegar e vou te matar. Lembre-se disso, seu canalha escroto.

— Ray. — Jonathan o puxou para trás.

Rob olhou de um rosto para outro. O Chefe... o médico... Ray Eldredge... esse Knowles, o advogado. Se ele admitisse ter estado na casa dos Eldredge... Mas que bem faria não admitir? Havia uma testemunha. Seu instinto lhe disse para aceitar a oferta que fora feita. Rob sabia quando não tinha mais cartas para jogar. Pelo menos, ao aceitar a oferta, teria uma ajuda na história da deserção.

Ele deu de ombros e olhou para Jonathan.

— Vai me defender?

— Sim.

— Não quero nenhuma acusação de seqüestro.

— Ninguém está tentando lhe imputar uma — disse Jonathan. — Só queremos a verdade... A simples verdade, a que você sabe. E o acordo não vai valer se não nos contar agora.

Rob se recostou. Ele evitou olhar para Ray.

— Tudo bem — disse. — Começou assim. Um amigo meu no Canadá...

Eles ouviram com atenção enquanto ele falava. Só de vez em quando o Chefe ou Jonathan faziam uma pergunta. Rob escolheu as palavras com cuidado quando disse que ia procurar Nancy para pedir dinheiro.

— Olhe, nunca acreditei que ela tivesse tocado num fio de cabelo daquelas crianças Harmon. Ela não fazia esse gênero. Mas soube que estavam tentando me acusar de seqüestro lá e achei melhor responder às perguntas e deixar minhas opiniões de fora. Eu meio que lamentei por ela; ela era uma garota assustada numa baita armação, no meu entender.

— Uma armação que foi de sua responsabilidade direta — disse Ray.

— Cala a boca, Ray — disse o chefe Coffin. — Limite-se a esta manhã — ordenou ele a Rob. — A que horas chegou à casa dos Eldredge?

— Alguns minutos antes das dez — disse Rob. — Eu estava dirigindo bem devagar, procurando por aquela estrada de terra que meu amigo desenhou... E depois percebi que tinha passado por ela.

— Como percebeu que tinha passado?

— Bem, aquele outro carro... Tive que reduzir... Depois percebei que o outro carro vinha da estrada, então voltei.

— O outro carro? — repetiu Ray. Ele deu um pulo. — *Que* outro carro?

A porta da sala de interrogatório se abriu num estrondo. O sargento precipitou-se para dentro.

— Chefe, acho que é muito importante o senhor falar com os Winggin e o outro casal. Acho que eles têm uma coisa importante de verdade para contar ao senhor.

# 30

Por fim Nancy conseguiu se levantar e lavar o rosto e a boca. Ela não devia deixar que vissem que estava doente. Não devia falar nisso. Iam pensar que estava louca. Não iam acreditar nem entender. Mas se o inacreditável fosse possível... As crianças. Ah, meu Deus, de novo não, não desse jeito; por favor, de novo não.

Ela correu para o quarto e procurou por roupa de baixo na cômoda, calças e um suéter pesado no armário. Tinha que ir à delegacia. Tinha que ver Rob, dizer a ele no que ela acreditava, implorar que ele dissesse a verdade. Que importava se todo mundo pensasse que era louca?

Com a velocidade de um raio, ela se vestiu, enfiou os pés em tênis, amarrou-os com dedos trêmulos e correu para baixo. Dorothy estava esperando por ela na sala de jantar. A mesa estava posta, com sanduíches e um bule de chá.

— Nancy, sente-se... Procure comer alguma...

Nancy a interrompeu.

— Preciso ver Rob Legler. Há uma coisa que tenho de perguntar a ele. — Ela trincou os dentes, depois de ouvir a histeria crescendo em sua voz. Não devia ficar histérica. Ela se virou para Bernie Mills, que estava parado na porta da cozinha.

— Por favor, ligue para a delegacia — pediu. — Diga ao chefe Coffin que insisto em ir... Que tem a ver com as crianças.

— Nancy! — Dorothy pegou seu braço. — Do que está falando?

— Que preciso ver Rob. Dorothy, ligue para a delegacia. Não, eu ligo.

Nancy correu até o telefone. Estava prestes a pegar o fone quando ele tocou. Bernie Mills correu para atender, mas ela pegou o aparelho.

— Alô? — Sua voz era acelerada e impaciente.

Depois ela ouviu. Tão baixo que era um sussurro. Teve que se esforçar para entender as palavras dele.

— Mamãe. Mamãe, vem aqui nos pegar, por favor. Aju-de a gente. Mamãe, a Missy está doente. Vem aqui nos pegar...

— Michael... Michael! — gritou ela. — Michael, onde você está? Me diga onde você está!

— Estamos numa... — Depois a voz dele sumiu e a li-nha ficou muda.

Freneticamente, ela bateu no dedo no gancho.

— Telefonista — berrou ela —, não corte a ligação! Te-lefonista... — Mas era tarde demais. Um instante depois, o zumbido monótono de tom de discagem gemeu em seu ouvido.

— Nancy, o que foi? Quem era? — Dorothy estava ao lado dela.

— Era Michael. Michael telefonou. Disse que Missy está doente. — Nancy pôde ver a dúvida no rosto de Dorothy. — Pelo amor de Deus, não entendeu? Era Michael!

Freneticamente, ela bateu o dedo no gancho, depois discou para a telefonista e interrompeu sua oferta mecânica de ajuda quando ela atendeu.

— Pode me falar da ligação que acabei de receber? Quem fez? De onde veio?

— Desculpe, senhora. Não temos como descobrir isso. Na verdade, estamos tendo muitos problemas de modo geral. A maioria dos telefones na cidade está muda por causa da tempestade. Qual é o problema?

— Preciso saber de onde veio a chamada. Tenho que saber.

— Não há como rastrear a ligação depois que é interrompida, senhora.

Entorpecida, Nancy baixou o fone.

— Alguém pode ter interrompido a ligação — disse ela. — A pessoa que está com as crianças.

— Nancy, tem certeza disso?

— Sra. Eldredge, a senhora está meio nervosa e perturbada.

Bernie Mills tentava manter o tom de voz tranqüilizador. Nancy o ignorou.

— Dorothy, Michael disse: "Estamos numa..." Ele sabe onde está. Ele não pode estar longe. Não vê isso? E ele disse que Missy está doente.

De longe, ela ouvia outra coisa. Lisa está doente... Ela não se sente bem. Ela havia dito isso a Carl há muito tempo.

— Qual é o número da delegacia? — perguntou Nancy a Bernie Mills. Ela expulsou as ondas de fraqueza que vinham como nuvens de neblina em sua cabeça. Seria tão fácil se deitar... e ser levada para longe. Neste exato momento alguém estava com Michel e Missy... Alguém que os estava machucando... Talvez estivesse fazendo com eles o que fizera antes. Não... não... Ela precisava encontrá-los... Ela não devia adoecer... Tinha que encontrá-los.

Ela se agarrou à beirada da mesa para manter o equilíbrio. Disse em voz baixa:

— Você pode pensar que estou histérica, mas estou lhe dizendo que era a voz do meu filho. Qual é o número da delegacia?

— Ligue KL cinco-três-oito-zero-zero — disse Bernie com relutância. *Ela está mesmo descontrolada*, pensou. E o chefe ia pedir sua cabeça por não ter atendido o telefone. Ela imaginava que era o garoto... Mas podia ter sido qualquer um, até um maluco.

O telefone do outro lado tocou. Uma voz nítida disse: "Delegacia de Polícia de Adams Port. Sargento... falando." Nancy começou a dizer "Chefe Coffin" e percebeu que estava falando para o nada. Impaciente, bateu o dedo no gancho.

— Está mudo — disse ela. — O telefone está mudo.

Bernie Mills pegou o fone da mão dela.

— Está mudo mesmo. Não me surpreende. Provavelmente metade das casas não tem telefone a essa altura. É essa tempestade.

— Me leve à delegacia. Não, você vai, o telefone pode voltar e Michael pode ligar de novo... Por favor, vá à delegacia, ou tem alguém lá fora?

— Acho que não, a van da televisão também foi para a delegacia.

— Então você vai. Vamos ficar aqui. Diga a eles que Michael telefonou. Diga a eles para trazerem Rob Legler aqui. Vamos ficar esperando.

— Não posso deixar a senhora.

— Nancy, tem certeza de que era Michael?

— Tenho certeza. Dorothy, por favor, acredite em mim. Tenho certeza. Era Michael... Era ele. Policial, por favor. Quanto tempo até a delegacia no seu carro?... Cinco minutos. O senhor terá dez minutos no total.. Mas faça com que tragam Rob Legler aqui. Por favor.

Bernie Mills pensou com cuidado. O chefe lhe dissera para ficar ali. Mas com o telefone mudo, não haveria nenhum recado. Se levasse Nancy com ele, o chefe podia não gostar. Se saísse e voltasse, ia levar um total de dez minutos, e se fosse mesmo o menino no telefone e ele não relatasse isso...

Ele pensou em pedir a Dorothy para ir de carro até a delegacia, depois descartou a idéia. As estradas tinham gelo demais. Ela estava tão nervosa que era provável que batesse com o carro.

— Eu vou — disse ele. — Não saia daqui.

Ele não teve tempo para procurar pelo casaco, mas correu pela porta dos fundos até a radiopatrulha.

Nancy disse:

— Dorothy, Michael sabia onde estava. Ele disse: "Estamos na..." O que isso significa para você? Se você estivesse em um local desconhecido, você diria: "estamos numa praia", ou "estamos num barco"; mas se você estivesse numa casa ou numa loja que conhece, você sabe que diria: "estamos *na* casa de Dorothy", ou "estamos *no* escritório do papai". Entende o que quero dizer? Ah, Dorothy, deve haver um jeito de saber. Eu fico repassando tudo. Deve haver alguma coisa... Uma forma de saber.

"E ele disse que Missy está doente. Quase não deixei que ela saísse de manhã. Eu pensei nisso. Pensei nisso. Estava frio demais; estava ventando também. Mas odeio pensar neles adoecendo ou mimá-los com doenças, e sei por que agora. Foi por causa de Carl e o modo como ele os examinava... E a mim. Ele era doente. Agora sei disso. Mas foi por isso que deixei Missy sair. Estava úmido e frio demais para ela. Mas só pensei nesse assunto há meia hora. E foi por causa disso. E peguei as luvas vermelhas dela, aquelas com as carinhas sorridentes, e disse a ela para ficar com elas porque estava frio demais. Eu me lembro de pensar que para variar ela estava usando um par que combinava. Mas ela perdeu uma no balanço. Ah, meu Deus, Dorothy, se eu não tivesse deixado que eles saíssem! Se tivesse mantido os dois aqui dentro porque ela estava ficando doente... Mas não queria pensar nisso... Dorothy!

Nancy girou o corpo ao ouvir o choro abafado de Dorothy. O rosto dela se contorcia convulsivamente.

— O que foi que você disse? — perguntou ela. — O que disse... sobre as luvas?

— Não sei. Quer dizer... que ela perdeu uma... ou que elas eram iguais? Dorothy, o que foi? O que você sabe?

Com um soluço, Dorothy cobriu o rosto.

— Sei onde eles estão. Ah, meu Deus, eu sei... E fui tão idiota. Ah, Nancy, o que foi que eu fiz? Ah, o que foi que eu fiz? — Ela colocou a mão no bolso e pegou a luva. — Estava lá... Hoje à tarde, no chão da garagem... E pensei que eu tinha chutado do carro. E aquele homem pavoroso... Eu sabia que havia alguma coisa nele; o modo como o cheiro dele era azedo... Tão cruel... E aquele talco infantil. Ah, meu Deus!

Nancy pegou a luva.

— Dorothy, por favor, me ajude. Onde achou essa luva?

Dorothy vergou o corpo.

— Na Sentinela, quando mostrei a casa hoje.

— A Sentinela... Onde mora aquele sujeito, Parrish. Não acho que o tenha visto, a não ser de longe. Ah, não! — Em um instante de completa clareza, Nancy viu a verdade e percebeu que podia ser tarde demais. — Dorothy, vou para A Sentinela. *Agora*... As crianças estão lá. Talvez. Talvez haja tempo. Você procura pelo Ray e a polícia. Diga a eles para irem lá. Posso entrar na casa?

O tremor de Dorothy parou. Sua voz tornou-se tão calma quanto a de Nancy. Mais tarde — mais tarde, pelo resto de sua vida — ela se deixaria abater pela culpa... Mas não naquele minuto.

— A porta da cozinha tem um ferrolho. Se ele colocou, você não vai poder entrar. Mas a porta da frente, aquela que dá para a baía... ele nunca usa. Nunca lhe dei a chave. Isto abre as duas trancas. — Ela procurou no bolso e pegou um chaveiro. — Esta aqui.

Ela não questionou a decisão de Nancy de ir sozinha. Juntas, as mulheres correram para a porta dos fundos, na direção dos carros. Dorothy deixou que Nancy partisse primeiro. Ela prendeu a respiração enquanto o carro de Nancy oscilava, derrapava e depois se corrigia.

Era quase impossível enxergar. O granizo formara um escudo grosso de gelo no vidro. Nancy baixou a janela lateral. Olhando por ela, semicerrando os olhos contra o granizo, ela acelerou o carro na estrada, atravessou a Route 6A e pegou a rua que levava ao atalho para A Sentinela.

Enquanto começava a subir a ladeira, o carro começou a derrapar. Ela pisou fundo no pedal do acelerador e as rodas da frente deslizaram, girando o carro na estrada coberta de gelo. Nancy pisou no freio. O carro rodou. Tarde demais, ela tentou corrigi-lo. Uma árvore assomava à frente. Ela conseguiu girar o volante num semicírculo. A frente do carro deu uma guinada para a direita e, com um estrondo agudo, atingiu a árvore.

Nancy foi atirada para a frente, depois para trás. As rodas ainda giravam quando ela abriu a porta do lado do motorista e saiu para o granizo. Ela não pusera casaco, mas mal sentia o gelo através do suéter e das calças ao tentar subir correndo a ladeira.

Ao se aproximar da entrada de carros, ela escorregou e caiu. Ignorando a dor forte no joelho, Nancy correu para a casa. *Não me deixe chegar tarde demais. Por favor, que eu não chegue tarde demais.* Como nuvens se abrindo diante de seus olhos, ela se viu olhando as lápides de Lisa e Peter... Seus rostos brancos e inchados da água... Os pedaços de saco plástico ainda grudados neles. *Por favor*, rezou. *Por favor!*

Chegou à casa e se apoiou nos sarrafos enquanto dava a volta para a porta da frente. A chave em sua mão estava molhada e fria. Ela a agarrou com força. A casa estava completamente escura, a não ser pelo último andar. Podia ver uma luz passando pela cortina de uma das janelas. Enquanto circundava a casa, ouviu o som áspero das ondas da baía se quebrando na margem rochosa. Não havia praia nenhuma — só pilhas de pedras. A praia ficava mais à esquerda.

Ela não percebera que aquela propriedade era tão alta. Era possível ver toda a cidade das janelas dos fundos.

Sua respiração estava saindo em arquejos profundos e soluços. Nancy sentiu os pulmões arderem. Não conseguia respirar por ter corrido no vento frio. Seus dedos entorpecidos se atrapalharam com a chave. *Vire, por favor; vire.* Ela sentiu resistência enquanto a fechadura enferrujada agarrava a chave, depois travou e por fim a chave virou, e Nancy abriu a porta.

A casa estava escura — terrivelmente escura. Ela não conseguia enxergar. Havia um cheiro de mofo e o silêncio era profundo ali. A luz vinha do último andar. Era lá que ficava o apartamento. Precisava encontrar a escada. Ela resistiu ao impulso de gritar o nome de Michael.

Dorothy disse uma coisa sobre as duas escadas no saguão depois de passar o salão da frente. Este era o salão da frente. Sem ter certeza, Nancy avançou. Na escuridão, ela estendeu as mãos diante de si. Não devia fazer barulho; não devia alertar para sua presença. Ela tropeçou, caiu para a frente e se recuperou, agarrando-se em alguma coisa. Era o braço de um sofá ou poltrona. Tateou o caminho. Se ao menos tivesse fósforos. Ela se esforçou para ouvir... Teria ouvido alguma coisa... Um choro... Ou era só o vento gemendo na lareira?

Ela precisava chegar à escada... Tinha de encontrá-los. E se não estivessem lá?... E se tivesse chegado tarde demais?... E se fosse como da última vez? — com aquelas carinhas tão paradas, tão distorcidas.... Eles tinham confiado nela. Lisa se agarrara a ela naquela última manhã. "O papai me machuca", foi tudo o que disse. Nancy tinha certeza de que Carl havia batido nela por molhar a cama... Tinha se xingado por ficar tão cansada para acordar. Ela não ousava criticar Carl... Mas quando fez a cama, não estava molhada; então Lisa não havia urinado na cama. Ela devia ter dito isso a eles no julgamento, mas não conseguiu. Não conseguia pensar... estava muito cansada... E isso não importava mais.

A escada... Havia uma coluna sob seu braço... A escada... Três lances... Ande pela lateral... Silêncio. Nancy se abaixou e tirou os tênis. Estavam tão molhados que faziam um ruído de chapinhar... *É importante fazer silêncio... Precisa chegar à escada... Não deve ser tarde demais novamente... Tarde demais da última vez... Não devia ter deixado as crianças no carro... Devia saber...*

A escada rangeu sob seus pés. *Não deve provocar pânico nele... Da última vez ele entrou em pânico... Talvez o telefonema de Michael lhe tenha provocado pânico... Da última vez, disseram que as crianças só foram atiradas na água depois de mortas... Mas Michael ainda estava vivo há poucos minutos... Há vinte minutos... E ele achava que Missy estava doente... Talvez ela estivesse doente... Tenho que pegá-la...* O primeiro lance de escada... *Quartos neste andar... Mas nenhuma luz, nenhum som...* Subir mais dois lances... No terceiro andar, também não havia som.

Na base do último lance da escada, Nancy parou para controlar sua respiração irregular. A porta no alto da escada estava aberta. Ela podia ver uma sombra na parede causada por uma luz fraca e vacilante. Depois ela ouviu... uma voz — a voz de Michael... "Não faz isso! Não faz isso!"

Correu pela escada cegamente, furiosa. Michael! Missy! Ela correu, sem se importar com o barulho, mas suas meias grossas não fizeram barulho nenhum. Sua mão no corrimão era silenciosa. No alto da escada, hesitou. A luz vinha do corredor. Em silêncio, atravessou rapidamente o cômodo, provavelmente a sala de estar, que estava escura e quieta, em direção à luz de velas no quarto, em direção à pessoa grande de costas para ela que segurava com uma das mãos uma pequena figura que lutava na cama e ria delicadamente enquanto com a outra empurrava um saco plástico brilhante sobre uma cabeça que sangrava.

Nancy teve um vislumbre de olhos azuis arregalados, do cabelo louro de Michael colado na testa, do modo como o plástico se prendeu em suas pálpebras e narinas quando ela gritou:

— Largue-o, Carl!...

Ela só percebeu que tinha dito "Carl" quando ouviu o nome saindo de seus lábios.

O homem girou o corpo. Em algum lugar à espreita naquela massa espessa de carne, pôde ver olhos que dardejavam e ardiam. Nancy teve um vislumbre de plástico se colando, da figura de Missy jogada na cama, seu casaco de um vermelho brilhante amontoado ao lado dela.

Ela viu o olhar de estupefação substituído pelo de astúcia.

— Você. — Ela se lembrava da voz. A voz que por sete anos tentara expulsar. Ele partiu para ela, ameaçador. Ela precisava contorná-lo. Michael não conseguia respirar.

Ele se lançou para ela. Nancy se afastou, sentindo o aperto forte em seu punho. Caíram juntos, desajeitados, pesadamente. Ela sentiu o cotovelo dele cravar-se na lateral de seu corpo. A dor era lancinante, mas o aperto dele relaxou por um momento. O rosto de Carl estava perto do dela. Gordo e branco, os traços inchados e alargados, mas o cheiro úmido e azedo... O mesmo que ela sentira antes.

Cegamente, ela se esticou com toda a força e mordeu a bochecha grossa e flácida. Com um uivo de raiva, ele bateu nela mas a soltou, e ela se arrastou, sentindo a mão dele puxando-a. Nancy se atirou na cama, as unhas rasgando o plástico apertado que deixava os olhos de Michael esbugalhados e as bochechas azuis. Ouviu o arfar enquanto ela girava para receber o novo ataque de Carl. Os braços dele a puxaram com força. Ela sentiu o calor doentio de seu corpo exposto.

Ah, meu Deus. Ela empurrou a cara dele com as mãos e o sentiu puxá-la para trás. Enquanto tentava se afastar, pôde sentir o pé de Missy debaixo dela, tocando-a, mexendo-se. Estava se mexendo. Missy estava viva. Ela sabia disso, podia sentir.

Começou a gritar — um apelo constante e exigente por ajuda. E então a mão de Carl cobriu a boca e narinas, e inutilmente ela tentou morder a palma grossa que a sufocava e fazia com que cortinas grandes e pretas se fechassem diante de seus olhos.

Estava afundando na inconsciência quando de repente as mãos afrouxaram a pressão. Ela sufocou — um gorgolejar alto. De algum lugar, alguém gritava o nome dela. Ray! Era Ray! Ela tentou chamar, mas não saiu nenhum som.

Lutando para se levantar sobre um cotovelo, ela sacudiu a cabeça.

— Mamãe, mamãe, ele está pegando a Missy! — A voz de Michael era urgente, sua mão sacudindo a dela.

Conseguiu se sentar enquanto Carl investia. O braço dele passou por ela e pegou a pequena figura que começara a se torcer e a chorar.

— Solte-a, Carl. Não toque nela. — Sua voz agora era um grasnido, mas ele olhou para ela como um louco e se virou. Segurando Missy de encontro a si, ele correu, o passo desajeitado. No escuro do cômodo ao lado, ela o ouviu esbarrar em móveis e cambaleou atrás dele, tentando se livrar da vertigem. Havia passos na escada agora — passos pesados e apressados, que subiam. Desesperadamente, tentou escutar Carl, ouvi-lo andar pelo corredor; viu sua sombra escura em silhueta na janela. Ele estava subindo a escada para o sótão. Ele ia para o sótão. Ela o seguiu, alcançou-o, tentou pegar sua perna. O sótão era cavernoso, cheirava a mofo, de vigas grossas com um teto baixo. E escuro. Tão escuro que era difícil segui-lo.

— Socorro! — ela gritou. — Socorro! — Pelo menos ela podia fazer sua voz trabalhar. — Aqui em cima, Ray. Aqui em cima! — Ela tropeçou às cegas atrás do som dos passos de Carl. Mas onde ele estava? A escada. Ele estava subindo a escada fina e frágil que levava do sótão ao telhado. O balcão ao redor da casa. Ele ia para lá. Ela pensou na sacada estreita e perigosa que circundava a chaminé, entre os torreões da casa. — Carl, não suba aí. É muito perigoso. Carl, volte, volte!

Ela podia ouvir sua respiração áspera, o som agudo que ficava entre o choro e o riso. Tentou pegar o pé de Carl enquanto subia atrás dele, mas ele chutou com violência quando sentiu a mão dela. O solado grosso do sapato atingiu-lhe a testa e ela escorregou da escada. Ignorando o sangue quente que corria por seu rosto, sem sentir a força do golpe, ela recomeçou, gritando:

— Carl, me dê a menina. Carl, pare!

Mas ele estava no alto da escada, empurrando a porta que dava para o telhado. Um granizo espesso caía enquanto a porta se abria.

— Carl, você não pode escapar — pediu ela. — Carl, vou te ajudar. Você está doente. Vou dizer que você está doente.

O vento pegou a porta, abrindo-a até que ela se chocou na lateral da casa. Missy agora gritava — um gemido alto e assustado:

— Mamããããããããeee!

Carl forçou o corpo na sacada. Nancy subiu atrás dele, agarrando-se à soleira da porta. Era tão estreita. Mal havia espaço para uma pessoa entre a grade e a chaminé.

Freneticamente, agarrou as roupas dele — tentando pegá-lo, puxá-lo de volta da grade baixa. Se ele caísse ou largasse Missy...

— Carl, pare, pare!

O granizo o atingia. Ele se virou e tentou chutá-la novamente, mas cambaleou para trás, agarrando Missy. Ele oscilou por sobre a grade e recuperou o equilíbrio. Seu riso era agora um som persistente e soluçante.

O caminho tinha uma camada de gelo. Ele sentou Missy na grade, segurando-a com uma das mãos.

— Não chegue mais perto, garotinha — disse ele a Nancy. — Vou largá-la se você se aproximar. Diga a eles que devem me deixar ir. Diga que eles não devem tocar em mim.

— Carl. Vou ajudar você. Me dê a menina.

— Você não vai ajudar. Você vai querer que eles me machuquem. — Ele colocou um pé sobre a grade.

— Carl. Não. Não faça isso. Carl, você odeia água. Não quer que a água cubra o seu rosto. Você sabe disso. É por isso que eu devia saber que você não cometeu suicídio. Você não ia se afogar. Você sabe disso, Carl. — Ela obrigou sua voz a ficar calma, decidida, tranqüilizadora. Ela deu um passo na direção da grade. Missy estava estendendo os braços, implorando.

Depois ela ouviu... Um estalo, um romper. A grade estava se quebrando! Nancy viu as colunas de madeira cederem sob o peso de Carl. A cabeça dele foi para trás e ele girou os braços para a frente.

Enquanto ele soltava Missy, Nancy disparou à frente e agarrou a filha. Suas mãos pegaram o cabelo comprido de Missy — pegaram, giraram e seguraram. Ela balançava na beira do passeio; a grade esfarelava. Ela sentiu Carl agarrar sua perna enquanto caía, gritando.

E então, quando estava sendo arrastada para a frente, braços fortes cingiram sua cintura por trás — braços que a sustentaram e a apoiaram. Uma mão forte puxou a cabeça de Missy para junto de seu pescoço, puxou as duas para trás, e ela se agarrou a Ray enquanto, com um último grito de desespero, Carl deslizava pela sacada, atravessava o telhado gelado e escorregadio e caía nas ondas raivosas e cheias de pedras abaixo da casa.

# 31

O FOGO LAMBIA FAMINTO as achas grossas. O cheiro quente da lareira permeava a sala e se misturava com o aroma de café fresco. Os Wiggins tinham aberto a loja e levaram frios para sanduíches, e eles e Dorothy prepararam uma refeição enquanto Nancy e Ray estavam no hospital com as crianças.

Quando chegaram em casa, Nancy insistiu para que as equipes de televisão e os repórteres também fossem alimentados, e Jonathan abriu sua casa para eles. Eles gravaram a chegada de Nancy e Ray, carregando seus filhos do carro, e tiveram permissão para entrevistá-los no dia seguinte.

— Nesse meio-tempo — disse Ray aos microfones —, queremos agradecer a todos cujas orações neste dia evitaram danos a nossos filhos.

Os Keeney também voltaram para casa, querendo participar do júbilo; assustados porque tiveram que esperar para dar suas informações; certos de que só as orações tinham possibilitado o resgate. *Todos tão humanos, tão tolos*, pensou Ellen. Ela estremeceu ao pensar que seu Neil tinha falado com aquele louco. E se ele tivesse pedido a Neil para entrar no carro dele naquele dia...?

Nancy se sentou no sofá, abraçando com força uma Missy que dormia em paz. Missy, cheirando a Vick e acalmada com leite quente e aspirina, o cobertor puído que ela chamava de "bibi" seguro na altura do rosto enquanto ela se aninhava na mãe. Michael falava com um Lendon que o questionava com delicadeza — contando tudo, pensando em tudo. A voz dele, no início excitada e acelerada, agora era mais calma, até meio orgulhosa.

— ... eu não queria sair daquela casa sem Missy quando o cara legal começou a lutar com o outro e gritou para eu conseguir ajuda. Então corri até Missy e liguei para a mamãe. Mas aí o telefone parou de funcionar. E tentei carregar Missy pela escada, mas o homem mau apareceu...

Os braços de Ray estavam em volta dele.

— Bom garoto. Você é um cara e tanto, Mike. — Ray não conseguia tirar os olhos de Nancy e Missy. O rosto de Nancy estava sem cor e com hematomas, mas era tão serenamente lindo que ele teve dificuldade de se livrar do bolo na garganta.

O chefe Coffin baixou a xícara de café e revisou a declaração que ia fazer à imprensa: "O professor Carl Harmon, vulgo Courtney Parrish, foi retirado da água ainda vivo. Antes de morrer, conseguiu fazer uma declaração, confessando sua única culpa no assassinato de seus filhos, Lisa e Peter, sete anos antes. Ele também admitiu que era responsável pela morte da mãe de Nancy Eldredge. Percebendo que ela teria evitado seu casamento com Nancy, ele avariou a barra de direção do carro que ela usava enquanto ela estava no restaurante com Nancy. O Sr. John Kragopoulos, que o professor Harmon atacou hoje, está gravemente ferido no hospital de Cape Cod com uma concussão, mas se encontra fora de perigo. As crianças Eldredge foram examinadas e não foram sexualmente molestadas, embora o menino, Michael, tenha sofrido um hematoma na face por um tapa violento."

O chefe sentiu a fadiga se instalar na medula de seus ossos. Ele deu a declaração e foi para casa. Delia estaria esperando por ele, querendo saber tudo sobre o que tinha acontecido. Este, refletiu ele, era o tipo de dia que fazia o trabalho policial valer a pena. Havia tanta tristeza neste trabalho. Havia ocasiões em que era preciso dizer a pais que seu filho estava morto. Momentos como este na Sentinela, quando eles souberam que tinham encontrado as duas crianças seguras, deviam ser acalentados.

Amanhã. Jed refletiu que amanhã teria que avaliar sua própria responsabilidade. Este manhã ele prejulgara Nancy devido ao fato de não tê-la reconhecido. Mas ao prejulgá-la, ele não deixara que sua mente se mantivesse aberta; ele ignorara o que Jonathan, Ray, o médico e a própria Nancy estavam lhe dizendo.

Mas pelo menos ele dirigira o carro que levou Ray à sacada do telhado da Sentinela naquela fração de segundo. Ninguém mais teria subido aquela ladeira escorregadia com tal rapidez. Quando viram o carro de Nancy amassado na árvore na curva da estrada, Ray quisera parar. Mas Jed continuara. Um instinto o fizera sentir que Nancy tinha saído do carro e estava na casa. Seu palpite estava certo. Por isso ele podia se defender.

Dorothy completou em silêncio a xícara de Lendon a um assentimento dele. Michael ficaria bem, pensou Lendon. Ele viria e o veria novamente. Ele conversou com a criança e com Nancy — tentou ajudá-la a ver completamente o passado e depois fazer com que o superasse. Nancy não ia precisar de muita ajuda. Era um milagre que ela tivesse resistência para sobreviver ao horror de tudo o que lhe acontecera. Mas ela era uma pessoa forte e sairia desta última provação capaz de olhar à frente, para uma vida normal.

Havia paz em Lendon. Enfim tinha compensado sua negligência. Se tivesse procurado Nancy quando Priscilla morreu, tanta coisa podia ter sido evitada. Teria percebido que havia alguma coisa errada com Carl Harmon e de algum jeito a tiraria dele. Mas ela não estaria aqui agora, com este jovem que era o seu marido. Estas crianças não estariam em seus braços.

Lendon percebeu o quanto agora queria ir para casa, para Allison.

— Café? — Jonathan repetiu a pergunta de Dorothy. — Sim, obrigado. Em geral não tomo café assim tão tarde, mas não acho que muitos de nós vamos ter problemas para dormir esta noite. — Ele analisou Dorothy de perto. — E você? Deve estar muito cansada.

Ele observou enquanto uma tristeza indefinível atravessava o rosto de Dorothy e entendeu o motivo para isso.

— Acho que devo lhe dizer— disse ele com firmeza — que qualquer tipo de auto-recriminação que você faça é intolerável. Todos ignoramos informações hoje de um jeito que pode ter contribuído para o desastre. Uma das primeiras é que toda manhã, quando eu passava por esta casa, ficava irritado com o brilho que atingia meus olhos. Nesta manhã mesmo, eu pensei em pedir a Ray para falar com o inquilino da Sentinela, para ver o que ele tinha na janela. Com minha experiência em advocacia, eu devia ter me lembrado disso. Uma investigação teria nos levado à Sentinela rapidamente.

"E um fato irrevogável é que se você não tivesse escolhido manter o compromisso e levado o Sr. Kragopoulos àquela casa, Carl Harmon não teria sido intimidado em sua intenção cruel. Ele não teria tido a atenção distraída de Missy. Certamente você ouviu a descrição de Michael sobre o que estava acontecendo antes de você chegar."

Dorothy ouviu, ponderou e, com sua honestidade, concordou. Um peso de culpa e remorso se dissolveu, e ela de repente se sentiu aliviada e feliz, capaz de se rejubilar plenamente com a reunião.

— Obrigada, Jonathan — disse ela simplesmente. — Eu precisava ouvir isso.

Sem ter consciência, ela pegou o braço dele. Conscientemente, ele cobriu a mão dela com a sua.

— As estradas ainda estão traiçoeiras — disse ele. — Quando estiver pronta para ir para casa, eu me sentiria melhor se me deixasse levá-la.

*Acabou*, pensou Nancy. *Acabou*. Seus braços apertaram a criança que dormia. Missy se agitou, murmurou "Mamãe" e voltou à respiração tranqüila e suave.

Nancy olhou para Michael. Ele estava encostado em Ray; Nancy viu como Ray gentilmente o empurrou de seu colo.

— Você está ficando cansado, companheiro — disse Ray. — Acho que talvez seja melhor vocês irem para a cama. Foi um dia muito longo.

Nancy se lembrou da sensação de quando aqueles braços fortes a pegaram, seguraram-na, evitaram que Missy e ela caíssem. Sempre seria assim com Ray. Ela sempre estaria segura. E hoje ela vira, soubera e chegara a tempo.

Dos mananciais de seu ser, uma oração permeava sua mente e seu coração: *Obrigada, Senhor, obrigada, Senhor, obrigada. O Senhor nos livrou do mal.*

Ela percebeu que o granizo não batia mais nas janelas, que o gemido do vento tinha cessado.

— Mamãe — disse Michael, e agora a voz dele estava sonolenta. — Nem fizemos uma festa de aniversário para você, e não comprei o seu presente.

— Não se preocupe, Mike — disse Ray. — Vamos comemorar o aniversário da mamãe amanhã, e sei exatamente que presente comprar para ela. — Como que por milagre, a tensão e a fadiga deixaram sua expressão, e Nancy viu um brilho se formar nos olhos dele. Ele olhou diretamente para ela. — Vou até contar quais são os presentes, querida — disse ele. — Aulas de arte com um bom professor da parte das crianças e um dia de beleza no salão como presente meu.

Ele se levantou, colocou Michael na poltrona e se aproximou dela. Parado junto de Nancy, examinou o cabelo dela com cuidado.

— Tenho a impressão de que você vai ficar uma loucura ruiva, querida — disse ele.

Seja um Leitor Preferencial Record
e receba informações sobre nossos lançamentos.
Escreva para
**RP Record**
**Caixa Postal 23.052**
**Rio de Janeiro, RJ – CEP 20922-970**
dando seu nome e endereço
e tenha acesso a nossas ofertas especiais.

Válido somente no Brasil.

Ou visite a nossa *home page*:
http://www.record.com.br